MW00654258

Thich Nhat Hanh est un maître zen vietnamien. Son action engagée pour la paix lui a valu, pendant la guerre, l'exil en France où il vit depuis plus de trente ans. Martin Luther King proposa son nom pour le prix Nobel de la paix. Il réside au centre bouddhique du Village des Pruniers en Dordogne, qu'il a créé en 1982. Il dispense également des enseignements à travers le monde.

La sérénité de l'instant

Du même auteur
aux Éditions J'ai lu

LE MIRACLE DE LA PLEINE CONSCIENCE
N° 8774

THICH NHAT
HANH

La sérénité
de l'instant

*Préface de Sa Sainteté
le Dalaï-Lama*

*Traduit de l'anglais
par Julien Thèves*

Collection dirigée
par Ahmed Djouder

Titre original
Peace is every Step

Éditeur original : Bantam Dell Publishing, 1992

Préface

par Sa Sainteté le Dalaï-Lama

Accomplir la paix dans le monde par la transformation intérieure est difficile, mais nous devons nous y efforcer car c'est la seule façon d'y arriver. Où que j'aille, c'est ce que je prône. Ce qui m'encourage, c'est que des gens dont les chemins de vie sont très différents comprennent mon message. La paix se développe d'abord en nous. Et je crois que l'amour, la compassion et l'altruisme sont les bases fondamentales de la paix. Une fois que ces qualités se sont développées dans un individu, peut alors se créer une atmosphère de paix et d'harmonie. Cette atmosphère s'étend de l'individu à sa famille, puis de la famille à la communauté et finalement au monde entier.

La sérénité de l'instant est le guide pour un voyage dans cette direction-là. Thich Nhat Hanh enseigne d'abord la pleine conscience de la respiration et des petites actions de la vie quotidienne. Il nous montre ensuite comment utiliser les bénéfices de la pleine conscience et de la concentration pour transformer et guérir les états psychologiques difficiles. Enfin, il met en évidence le lien entre la paix de l'âme et la paix sur Terre. C'est un livre de grande valeur. Il peut changer la vie des individus – et transformer notre société tout entière.

Introduction de l'éditeur

Ce matin, alors que je marchais lentement et avec attention dans une forêt de chênes verts, un vif soleil rouge orangé se leva. Cela m'évoqua immédiatement des images de l'Inde, où plusieurs d'entre nous avaient rejoint Thich Nhat Hanh l'année précédente pour visiter les sites où le Bouddha avait enseigné. Au cours d'une promenade vers une grotte, près de Bodh Gaya, nous nous arrêtâmes dans un champ entouré de rizières et récitâmes ce poème :

La paix est chaque pas.
Le flamboyant soleil rouge est dans mon cœur.
Chaque fleur sourit avec moi.
Comme tout ce qui pousse est vert, est frais !
Combien frais est le vent.
La paix est à chaque pas.
Elle transforme en joie le chemin sans fin.

Ces lignes sont la quintessence du message de Thich Nhat Hanh – la paix n'est pas à l'extérieur, elle n'a pas à être recherchée ni atteinte. Vivre en pleine conscience, ralentir son pas, goûter chaque seconde et chaque respiration, cela suffit. La paix est déjà là : en avançant, à chaque pas, une fleur s'épanouit sous nos pieds. De fait, les fleurs nous sourient et nous souhaitent bonne chance sur le chemin.

J'ai rencontré Thich Nhat Hanh en 1982. Il assistait à une conférence pour le respect de la vie à New York. J'étais l'un des premiers bouddhistes américains. Il fut surpris de me voir habillé comme les novices qu'il avait formés pendant vingt ans au Vietnam, ayant leur aspect extérieur et me comportant plus ou moins comme eux. Quand mon professeur, le roshi Richard Baker, l'invita à notre centre de méditation de San Francisco, il accepta avec joie. Ce fut le début d'une nouvelle phase dans la vie extraordinaire de cet aimable moine, que le roshi Baker avait décrit comme « un croisement entre un nuage, un escargot et une pièce d'artillerie – une véritable présence religieuse ».

Thich Nhat Hanh est né dans le centre du Vietnam en 1926. Il a été ordonné moine bouddhiste en 1942, à l'âge de seize ans. Huit ans plus tard, il cofondait déjà ce qui allait devenir le plus important centre d'études bouddhiques du Sud-Vietnam, l'institut bouddhiste An Quang.

En 1961, Nhat Hanh vint aux USA pour étudier et enseigner la religion comparée aux universités de Columbia et de Princeton. Mais en 1963, ses collègues moines du Vietnam lui envoyèrent un télégramme : ils lui demandaient de rentrer pour les soutenir dans leur tentative d'arrêter la guerre qui avait éclaté à la chute du régime oppressif de Diem. Il rentra immédiatement et contribua à diriger l'un des plus importants mouvements de résistance non violente de ce siècle, basé entièrement sur les principes de Gandhi.

En 1964, avec d'autres professeurs d'université et étudiants vietnamiens, Thich Nhat Hanh fonda l'École de la jeunesse pour le service social, appelée par les Américains « Little Peace Corps » : des groupes de jeunes gens partaient dans la campagne y établir des dispensaires et des écoles. Plus tard, ils reconstruisirent les villages bombardés. Au moment de la chute de Saigon, plus de dix mille moines, religieuses et jeunes travailleurs sociaux étaient impliqués dans ce travail. La même année, Nhat Hanh aida à mettre sur pied ce qui allait devenir l'une des plus prestigieuses maisons d'édition du Vietnam, La Boi Press. En tant qu'écrivain et rédacteur en chef de la publication officielle de l'Église bouddhiste unifiée, il appela à la réconciliation entre les belligérants vietnamiens. À cause de ses écrits, il fut censuré par l'un et l'autre gouvernement.

En 1966, exhorté par les autres moines, il accepta une invitation de l'Association pour la réconciliation et de la Cornell University. Il vint aux États-Unis « décrire les aspirations et l'agonie des masses silencieuses vietnamiennes » (*New Yorker*, 25 juin 1966). Il avait un agenda très chargé de conférences et de rencontres privées. Il plaida la cause d'un cessez-le-feu et d'un règlement négocié de la crise. Martin Luther King fut si touché par Thich Nhat Hanh et ses propositions pour la paix qu'il le nomina pour le prix Nobel de la paix 1967, disant : « Je ne connais personne de plus digne du prix Nobel de la paix que cet aimable moine vietnamien. » En grande partie sous l'influence de Thich Nhat Hanh,

Luther King prit position publiquement contre la guerre lors d'une conférence avec Nhat Hanh à Chicago.

Quand Thomas Merton, le moine catholique et mystique bien connu, rencontra Thich Nhat Hanh à son monastère, Gethsemani, près de Louisville (Kentucky), il dit à ses étudiants : « La façon dont il ouvre une porte et entre dans la pièce est déjà une preuve de sa compréhension. C'est un authentique moine. » Merton écrivit un essai, « Nhat Hanh est mon frère », un plaidoyer passionné en faveur des propositions de paix faites par Nhat Hanh. Après des rencontres au plus haut niveau avec les sénateurs Fullbright et Kennedy, avec le Secrétaire d'État McNamara et d'autres encore à Washington, Thich Nhat Hanh alla en Europe. Il y rencontra un certain nombre de chefs d'État et représentants de l'Église catholique – et même à deux reprises le pape Paul VI. Il insista à ces occasions sur la nécessaire coopération entre catholiques et bouddhistes pour ramener la paix au Vietnam.

En 1969, à la demande de l'Église bouddhiste unifiée du Vietnam, Thich Nhat Hanh mit sur pied la délégation bouddhiste qui devait participer aux Conférences de paix à Paris. Après la signature des accords de paix en 1973, il lui fut interdit de rentrer au Vietnam. Il établit une petite communauté à environ 150 kilomètres au sud-ouest de Paris, appelée « Patate douce ». En 1976-1977, Nhat Hanh dirigea une opération de sauvetage de boat people dans le golfe du Siam, mais l'hostilité des gouvernements thaïlandais et singapourien fit échouer l'opération. Pendant les cinq années suivantes, il séjourna à « Patate douce » – méditant, lisant, écrivant, reliant des livres, jardinant et recevant de temps en temps des visiteurs.

En juin 1982, Thich Nhat Hanh visita New York. Plus tard, cette même année, il créa le Village des Pruniers, un centre de retraite plus important situé près de Bordeaux, entouré de vignes, de champs de blé, de maïs et de tournesols. Depuis 1983, il retourne en Amérique du Nord tous les deux ans pour conduire des retraites et donner des conférences sur la vie en pleine conscience et la responsabilité sociale, « pour faire la paix en cet instant même où nous sommes en vie ».

Bien que Thich Nhat Hanh ne puisse plus visiter sa patrie, des copies manuscrites de ses livres continuent à circuler illégalement au Vietnam. Il est aussi présent *via* ses étudiants et collègues partout dans le monde, qui travaillent à plein temps pour essayer d'alléger les souffrances de Vietnamiens désespérément pauvres. Ceux-ci soutiennent clandestinement des familles affamées et font campagne pour des écrivains, des artistes, des moines et des religieuses emprisonnés pour leurs convictions ou pour leur art. Ce travail s'étend à l'assistance aux réfugiés menacés de rapatriement et à l'envoi de matériel et d'aide spirituelle aux réfugiés des camps de Thaïlande, Malaisie et Hongkong.

Désormais âgé de soixante-quatre ans, bien qu'en paraissant vingt de moins, Thich Nhat Hanh se révèle comme l'un des plus grands enseignants du XXe siècle. Au beau milieu d'une société préoccupée par la vitesse, l'efficacité et la réussite matérielle, la capacité de Thich Nhat Hanh à avancer avec calme et conscience et à nous apprendre à faire de même rencontre un écho enthousiaste en Occident. Bien que son mode d'expression soit simple, son message révèle la quintessence de sa profonde compréhension de la réalité, issue de ses méditations, de son entraînement bouddhiste et de son travail en relation avec le monde.

Sa façon d'enseigner est centrée sur la respiration consciente – la conscience de chaque respiration – et, à travers celle-ci, sur la pleine conscience de chaque action de la vie quotidienne. Méditer, nous dit-il, ne se fait pas seulement dans une salle réservée à cet effet. Il est tout aussi sacré de laver la vaisselle consciemment que de s'incliner profondément ou d'allumer de l'encens. Il nous dit aussi que sourire peut relaxer des centaines de muscles dans notre corps – il appelle ça « le yoga de la bouche ». De fait, des études récentes ont montré que lorsque les muscles du visage expriment la joie, nous produisons effectivement des effets très positifs sur notre système nerveux. La paix et le bonheur sont disponibles, nous rappelle-t-il, dès lors que nous pouvons calmer nos pensées distraites pour revenir au moment présent et remarquer le ciel bleu, le sourire d'un enfant, la beauté d'un lever de soleil. « Si nous sommes paisibles et si nous sommes heureux, nous pouvons sourire. Tous, alors, dans notre famille et dans notre société vont bénéficier de notre paix. »

La sérénité de l'instant est un aide-mémoire. Dans le rush de la vie moderne, on a tendance à perdre le contact avec la paix disponible en chaque moment. La créativité de Thich Nhat Hanh

14

réside dans sa capacité à faire usage précisément des situations qui généralement nous tiraillent et nous mettent sous pression. Pour lui, un coup de téléphone est le signe qu'il faut revenir à nous-mêmes. La vaisselle sale, les feux rouges, les embouteillages sont des amis en spiritualité sur le chemin de la pleine conscience. Les satisfactions les plus profondes, les sentiments de joie et de complétude les plus profonds sont à portée de main, tout comme le sont notre prochaine respiration consciente et le sourire que nous pouvons former à cet instant précis.

La sérénité de l'instant est construit à partir des conférences de Thich Nhat Hanh, d'écrits publics et inédits ainsi que de conversations informelles tenues auprès d'un groupe d'amis – Therese Fitzgerald, Michael Katz, Jane Hirschfield et moi-même, qui travaillons étroitement avec « Thay » Nhat Hanh (Thay = professeur). Ce livre existe également grâce à Leslie Meredith, notre attentive, consciencieuse et sensible éditrice chez Bantam. Patricia Curtan a dessiné le joli pissenlit. Remerciements spéciaux à Marion Tripp, qui a écrit le « poème du pissenlit ».

Ce livre est à ce jour le message le plus clair et le plus complet laissé par un grand « bodhisattva » ayant dédié sa vie à l'illumination d'autrui. Les leçons de Thich Nhat Hanh sont à la fois inspirantes et très pratiques. J'espère que le lecteur appréciera ce livre autant que nous avons pris plaisir à le réaliser.

Arnold Kotler
Thénac
France
Juillet 1990.

PREMIÈRE PARTIE

Respirez ! Vous êtes vivant

Vingt-quatre heures toutes neuves

Chaque matin, quand nous nous réveillons, nous avons vingt-quatre heures toutes neuves à vivre. Quel cadeau précieux ! Nous pouvons vivre de façon à ce que ces vingt-quatre heures nous apportent la paix, la joie et le bonheur, à nous-mêmes et aux autres.

La paix est présente ici et maintenant, en nous-mêmes et dans tout ce que nous faisons et voyons. La question est de savoir si nous sommes en contact avec elle. Pas la peine de voyager très loin pour profiter du ciel bleu. Inutile de quitter la ville, ni même notre quartier, pour admirer les yeux d'un bel enfant. Même l'air que l'on respire peut être source de joie.

Nous pouvons sourire, respirer, marcher et manger nos repas d'une façon qui nous permette d'être en contact avec tout ce bonheur disponible. Nous savons préparer nos vies, mais pas toujours les vivre. Nous savons comment sacrifier dix ans pour un diplôme et nous sommes prêts à travailler très dur pour obtenir un poste, une voiture, une maison, etc. Mais nous avons du mal à nous rappeler que nous sommes vivants au moment présent, le seul où nous puissions l'être. Chaque inspiration que l'on prend, chaque pas que l'on fait peut être empli de paix, de joie et de sérénité. Il nous faut simplement nous éveiller, vivant au moment présent.

Ce petit livre se veut une cloche de vigilance, un aide-mémoire qui rappelle que le bonheur n'est possible qu'au moment présent. Bien sûr, planifier le futur fait partie de la vie. Mais la planification elle-même ne peut avoir lieu qu'au moment présent. Ce livre est une invitation à revenir au moment présent pour y trouver la paix et la joie. Je voudrais partager avec vous mon expérience, ainsi qu'un certain nombre de techniques. Celles-ci, je pense, vous seront utiles. Mais, je vous en prie, n'attendez pas d'avoir fini le livre pour trouver la paix. La paix et le bonheur sont disponibles à chaque moment. La paix, c'est chaque pas. Nous marcherons main dans la main. Bon voyage !

Le pissenlit a mon sourire

Le sourire d'un enfant ou d'un adulte est très important. Si nous arrivons à sourire dans la vie quotidienne, à être paisible et heureux, tout le monde va en profiter, pas seulement nous-mêmes.

Si l'on sait vraiment comment vivre, quoi de mieux que de commencer la journée avec un sourire ? Notre sourire affirme notre conscience et notre détermination à vivre paisiblement et dans la joie. La source d'un vrai sourire, c'est un esprit éveillé.

Comment pouvez-vous vous rappeler de sourire au matin ? Vous pouvez suspendre un aide-mémoire – une branche, une feuille, un tableau, quelques mots inspirés – à votre fenêtre ou au plafond au-dessus de votre lit, afin que vous puissiez l'apercevoir en vous réveillant. Une fois que vous avez pris l'habitude de sourire, vous n'aurez peut-être plus besoin d'aide-mémoire. Vous sourirez dès que vous entendrez un oiseau chanter ou que vous verrez la lumière du soleil à travers la fenêtre. Sourire vous aide à commencer la journée en douceur, avec compréhension.

Quand je vois quelqu'un sourire, je sais immédiatement s'il ou elle vit dans la vigilance. Ce demi-sourire, combien d'artistes ont trimé pour le faire apparaître sur d'innombrables statues et tableaux ? Je suis sûr que les peintres et les sculpteurs devaient sourire de ce même sourire en travaillant. Pouvez-vous imaginer un peintre en colère donner naissance à un tel sourire ? Le sourire de Mona Lisa est léger, à peine ébauché. Et pourtant, un sourire comme celui-là suffit à détendre tous les muscles de notre visage, à bannir tous les soucis et toute la fatigue. Un sourire en herbe sur nos lèvres nourrit la conscience et nous calme miraculeusement. Il nous rend la paix que nous croyions avoir perdue.

Notre sourire nous apportera le bonheur – ainsi qu'à ceux qui se trouvent autour de nous.

Même si l'on dépense beaucoup d'argent en cadeaux pour tous ceux de notre famille, rien de ce que l'on achètera ne pourra leur donner autant de bonheur que le cadeau de notre vigilance : notre sourire. Et ce précieux cadeau ne coûte rien. À la fin d'une retraite en Californie, une amie écrivit ce poème :

> J'ai perdu mon sourire
> Mais ne vous inquiétez pas.
> Le pissenlit a mon sourire.

Si vous avez perdu votre sourire mais que vous êtes encore capable de le voir dans le pissenlit, la situation n'est pas trop grave. Vous avez encore assez de présence d'esprit pour voir que le sourire est là. Vous n'avez qu'à respirer consciemment une fois ou deux – et vous allez retrouver votre sourire. Le pissenlit fait partie de votre communauté d'amis. Il est là, fidèle, gardant le sourire que vous croyiez avoir perdu.

En fait, chaque chose autour de vous garde votre sourire. Vous n'avez pas à vous sentir seul. Vous n'avez qu'à vous ouvrir au soutien qui est autour de vous et en vous. Comme l'amie qui vit que son sourire était gardé par le pissenlit, vous pouvez respirer en conscience – et votre sourire reviendra.

Respiration consciente

Il y a beaucoup de techniques de respiration à utiliser pour se rendre la vie plus vivante et agréable. Le premier exercice est très simple. Tout en inspirant, dites-vous : « J'inspire, je sais que j'inspire. » Et tout en expirant, dites-vous : « J'expire, je sais que j'expire. » Juste ça. Vous reconnaissez votre inspiration pour une inspiration, et votre expiration pour une expiration. Vous n'avez même pas à réciter toute la phrase. Vous pouvez juste dire deux mots : « inspire », « expire ». Cette technique peut vous aider à focaliser votre attention sur votre respiration. Avec la pratique, votre respiration deviendra paisible et douce. Votre corps et votre esprit le deviendront eux aussi. Ce n'est pas un exercice difficile. En quelques minutes à peine, vous pouvez récolter le fruit de la méditation.

Inspirer et expirer, c'est très important. Et c'est très appréciable. Notre respiration est comme le lien entre notre corps et notre esprit. Quelquefois, notre esprit pense à une chose, et notre corps en fait une autre – esprit et corps sont désunis. En nous concentrant sur notre respiration, « inspire » puis « expire », nous rassemblons nos corps et esprit – et redevenons entier. La respiration consciente est un point capital.

Pour moi, respirer est une joie dont je ne peux me passer. Chaque jour, je pratique la respiration consciente. Dans ma petite salle de méditation, j'ai calligraphié cette phrase : « Respire, tu es vivant ! » Respirer et sourire peuvent à eux seuls nous rendre très heureux parce que quand nous respirons consciemment, nous nous retrouvons complètement – et rencontrons la vie au moment présent.

Moment présent, moment merveilleux

Dans notre société affairée, c'est un grand bonheur de pouvoir respirer consciemment de temps en temps. Nous pouvons pratiquer la respiration consciente dans un centre de méditation mais aussi au bureau, à la maison, en voiture, dans un autobus, où que nous soyons, à n'importe quel moment de la journée !

Il y a tellement d'exercices que l'on peut faire pour s'entraîner à respirer consciemment. Au-delà du simple exercice de l'« inspire/expire », nous pouvons nous réciter ces quatre lignes silencieusement tout en inspirant puis en expirant :

J'inspire, je calme mon corps.
J'expire, je souris.
M'installant dans le moment présent,
Je sais que c'est un moment merveilleux !

« J'inspire, je calme mon corps. » Réciter cette phrase, c'est comme boire un verre de limonade bien fraîche par un jour de canicule – vous pouvez sentir la fraîcheur pénétrer votre corps. Quand je respire et que je me récite cette phrase, je sens réellement ma respiration calmer mon corps et mon esprit.

« J'expire, je souris. » Vous savez qu'un sourire peut détendre une centaine de muscles de votre visage. Arborer un sourire, c'est le signe que vous êtes le maître de vous-même.

« M'installant dans le moment présent. » Assis là, je ne pense à rien d'autre. Je suis assis là, et je sais exactement où je suis.

« Je sais que c'est un moment merveilleux ! »
C'est une joie d'être assis, stable et à l'aise... et de revenir à sa respiration, à son sourire, à sa vraie nature. Notre rendez-vous avec la vie est le moment présent. Si nous n'avons pas la joie et la paix maintenant, quand donc l'aurons-nous : demain, après-demain ? Qu'est-ce qui nous empêche d'être heureux tout de suite ?

En suivant notre respiration, nous pouvons dire aussi tout simplement : « Calme/Sourire/ Moment présent/Merveilleux moment. »

Cet exercice n'est pas seulement pour les débutants. Beaucoup de ceux qui ont pratiqué la méditation et la respiration consciente pendant quarante ou cinquante ans continuent à pratiquer de cette façon, parce que ce genre d'exercice est si important et si facile.

Penser moins

Quand nous pratiquons la respiration consciente, nos pensées ralentissent. Nous pouvons nous reposer vraiment. La plupart du temps, nous pensons trop. La respiration consciente nous aide à nous calmer, à nous détendre, à être paisible. Elle nous aide à ne pas penser autant et à ne pas être possédé par la tristesse du passé et les angoisses du futur. Elle nous relie à la vie, merveilleuse au moment présent.

Bien sûr, penser est important. Mais bon nombre de nos pensées sont inutiles. C'est comme si, dans la tête, chacun d'entre nous avait une cassette qui n'en finit pas de tourner, jour et nuit. On pense à ceci, à cela et c'est difficile d'arrêter. Avec une cassette, on n'a qu'à appuyer sur le bouton. Mais avec nos pensées, il n'y a pas de bouton. Parfois, on pense et on s'inquiète tellement qu'on n'arrive plus à dormir. Si le médecin nous donne des tranquillisants et des somnifères, cela va peut-être aggraver la situation – ce type de sommeil n'étant pas vraiment réparateur. Et si l'on continue à utiliser ces drogues, on devient dépendant. On continue à vivre dans la tension et on fait parfois des cauchemars.

Avec la méthode de respiration consciente, on inspire et on expire... et on arrête de penser ! Car dire « inspire » et « expire », ce n'est pas penser : « inspire » et « expire » ne sont que des mots qui nous aident à nous concentrer sur notre respiration. Si l'on continue à inspirer et expirer de cette façon pendant quelques minutes, nous nous sentons vraiment revigorés. Nous nous retrouvons. Nous découvrons les belles choses du présent qui nous entourent. Le passé n'est plus là, le futur n'est pas encore. Si l'on ne revient pas à soi au moment présent, on ne peut pas être en contact avec la vie.

Quand nous sommes en contact avec les éléments de régénération, d'apaisement et de guérison qui sont en nous et à l'extérieur de nous, nous apprenons à chérir, à protéger ces choses et à les faire grandir. Ces éléments propices à la paix nous sont accessibles à chaque instant.

Nourrir la conscience à chaque instant

Par une froide soirée d'hiver, je rentrais chez moi après une promenade dans les collines. Je découvris que toutes les portes et fenêtres de mon ermitage avaient été grandes ouvertes. En partant un peu plus tôt, je ne les avais pas bien fermées. Un vent froid avait soufflé à travers la maison, ouvrant les fenêtres et dispersant partout dans la pièce les papiers de mon bureau. Immédiatement, je fermai portes et fenêtres, allumai une lampe, ramassai les papiers et les arrangeai soigneusement sur mon bureau. Puis j'allumai un feu dans la cheminée. Très vite, les bûches crépitèrent, ramenant la chaleur dans la pièce.

Parfois, dans une foule, on a froid, on se sent fatigué et solitaire. On aimerait pouvoir se retirer et avoir chaud à nouveau, comme je le fis ce soir-là en fermant les fenêtres et en m'asseyant près du feu, protégé du vent froid et humide. Nos sens sont des fenêtres sur le monde : quelquefois, le vent souffle à travers eux et dérange tout en nous. Certains d'entre nous laissent tout le temps leurs fenêtres ouvertes : les images et les sons du monde les envahissent et mettent à nu leur moi triste et troublé. Ils se sentent glacés, solitaires et craintifs. Ne vous est-il jamais arrivé de regarder un film horrible mais d'être incapable d'éteindre la télévision ? Les bruits rauques des explosions, les coups de feu vous dérangent. Pourtant, vous ne vous levez pas pour éteindre. Pourquoi vous torturez-vous ainsi ? N'avez-vous pas envie de fermer vos fenêtres ? Avez-vous peur de la solitude

– du vide et de la solitude que vous risquez de trouver en étant seul face à vous-même ?

En regardant un mauvais film à la télévision, nous *devenons* ce film. Nous sommes ce que nous ressentons, ce que nous percevons. Si nous sommes en colère, nous sommes la colère. Si nous sommes amoureux, nous sommes l'amour. Si nous regardons un pic montagneux recouvert de neige, nous sommes la montagne. Nous pouvons être tout ce que nous voulons. Alors pourquoi ouvrons-nous nos fenêtres à de mauvais films télé créés par des producteurs cupides qui cherchent à faire sensation – et de l'argent facile ? Ces programmes font battre nos cœurs, serrer nos poings et nous laissent épuisés. Qui permet que de telles émissions soient réalisées et vues par de très jeunes personnes ? Personne d'autre que nous ! Nous ne sommes pas assez exigeants, trop enclins à regarder tout ce qui passe sur le petit écran. Nous sommes aussi trop solitaires, trop paresseux ou trop pleins d'ennui pour créer nos propres vies. Nous allumons la télé et la laissons ainsi, offrant à quelqu'un d'autre le soin de nous guider, de nous modeler, de nous détruire. Nous oublier de cette façon-là, c'est laisser notre destin dans les mains d'autres que nous, qui n'agissent pas forcément de façon responsable. Nous devons savoir quelles émissions nous font du mal – à notre système nerveux, à nos esprits et à nos cœurs – et quelles émissions nous font du bien.

Bien sûr, je ne parle pas seulement de la télévision. Tout autour de nous, combien de pièges tendus par nos semblables et par nous-mêmes ? En une seule journée, combien de fois ne nous égarons-nous et ne nous éparpillons-nous pas à cause d'eux ? Nous devons faire très attention à notre destin et à notre paix. Je ne suggère pas de fermer toutes les fenêtres, car il y a bien des miracles dans ce monde que nous appelons le monde « extérieur ». Nous pouvons ouvrir nos fenêtres à ces miracles et regarder chacun d'entre eux avec attention. Ainsi, même quand on est assis à côté d'un cours d'eau limpide, en écoutant de la belle musique ou quand on regarde un excellent film, on ne doit pas se perdre entièrement dans le courant, la musique ou le film. On doit continuer à être conscient de soi et de sa respiration. Avec le soleil de la conscience qui brille en soi, on peut éviter la plupart des dangers. Le courant sera plus pur, la musique plus harmonieuse et l'âme du réalisateur tout à fait tangible.

Les novices en méditation, dont vous êtes peut-être, peuvent avoir envie de temps à autre de quitter la ville et d'aller à la campagne. Là-bas, il est plus facile de fermer ces fenêtres qui troublent l'esprit. À la campagne, on peut alors ne faire qu'un avec la forêt tranquille, se redécouvrir et se restaurer sans être balayé par le chaos du « monde extérieur ». Les bois frais et silencieux aident à rester attentifs. Quand l'attention est bien enracinée et qu'on peut la maintenir sans flancher, on peut alors avoir envie de retourner en ville pour y rester, désormais moins perturbés. Mais il arrive aussi qu'on ne puisse pas quitter la ville. On doit alors trouver les éléments de régénération, de paix et de guérison au beau milieu de nos vies actives. On peut avoir envie d'aller voir un bon ami qui nous réconfortera, d'aller se

promener dans un parc pour profiter des arbres
et de la brise. Où que l'on soit, dans la ville, à la
campagne ou dans un désert, on a besoin de
nourrir sa conscience à chaque moment, en choi-
sissant son environnement avec soin.

S'asseoir n'importe où

Quand vous avez besoin de ralentir et de revenir à vous-même, pas la peine de courir chez vous
ni dans un centre de méditation pour pratiquer
la respiration consciente. Vous pouvez respirer
n'importe où, simplement assis sur votre chaise,
au bureau ou en voiture. Même dans un centre
commercial rempli de monde ou dans la file d'attente à la banque, si vous commencez à vous sentir épuisé et ressentez le besoin de revenir à
vous-même, vous pouvez pratiquer la respiration
consciente et le sourire en restant là.

Où que vous soyez, vous pouvez respirer
consciemment. Nous avons tous besoin de revenir à nous-mêmes de temps en temps afin de pouvoir affronter les difficultés de la vie. On peut le
faire dans n'importe quelle position – debout,
assis, allongé, ou en marchant. Cependant, si
vous pouvez vous asseoir, c'est la position la plus
stable.

Un jour, j'attendais un avion, qui avait quatre
heures de retard, à l'aéroport Kennedy de New
York. J'ai pris plaisir à m'asseoir en tailleur en
pleine salle d'attente. J'ai roulé mon pull-over
pour m'en faire un coussin, et je me suis assis

dessus. Les gens m'ont d'abord regardé avec curiosité. Mais ils m'ont rapidement ignoré et j'ai pu rester assis en paix. Il n'y avait pas d'endroit pour se reposer, le hall était plein de monde. Je me suis donc installé simplement mais confortablement à l'endroit précis où j'étais. Vous n'êtes pas obligé de méditer si ouvertement. Mais respirer consciemment dans n'importe quelle position à n'importe quel moment vous aidera à vous retrouver.

La méditation assise

La posture la plus stable pour méditer est l'assise en tailleur sur un coussin. Choisissez-en un qui ait la bonne épaisseur pour supporter votre poids. La position du lotus est excellente car elle stabilise le corps et l'esprit. Pour la prendre, croisez doucement vos jambes en plaçant un pied sur une cuisse (c'est la position du demi-lotus) ou un pied sur chaque cuisse (position dite du lotus intégral). Si la position du lotus est difficile, vous pouvez simplement vous asseoir en tailleur ou dans n'importe quelle position confortable. Redressez le dos, fermez à demi les yeux, et posez confortablement les mains sur les genoux. Si vous préférez, vous pouvez vous asseoir sur une chaise, pieds à plat sur le sol, mains sur les genoux. Vous pouvez aussi vous allonger par terre, sur le dos, jambes un peu écartées, bras le long du corps, de préférence paumes vers le ciel.

Si vos jambes ou vos pieds s'engourdissent ou deviennent douloureux pendant l'assise et finissent par déranger votre concentration, n'hésitez pas à ajuster votre position. Si vous le faites doucement, attentif à votre respiration et à chaque mouvement du corps, vous ne perdrez pas un instant de concentration. Si la douleur est trop forte, levez-vous, marchez doucement et en conscience. Quand vous êtes prêt, rasseyez-vous.

Dans certains centres de méditation, les pratiquants n'ont pas le droit de bouger pendant les séances de méditation assise. Ils doivent souvent endurer un grand inconfort. Cela ne me semble pas naturel. Quand une partie de votre corps est engourdie ou fait souffrir, elle transmet un message et nous devons être à l'écoute. Nous pratiquons la méditation assise pour cultiver la paix, la joie, la non-violence – et non pour endurer des tensions physiques ou blesser notre corps. Changer la position des pieds ou méditer un peu en marchant ne nous dérangera pas beaucoup – et cela peut nous aider énormément.

Parfois, on peut se servir de la méditation comme d'une échappatoire à nous-mêmes et à nos vies – tel un lièvre qui va se cacher dans son terrier. En faisant cela, on peut échapper temporairement à certains problèmes. Mais quand l'on ressort de notre « terrier », il nous faut les affronter à nouveau. Par exemple, si l'on pratique la méditation très intensément, on peut se sentir en quelque sorte soulagé par l'épuisement ; on a réussi à détourner notre énergie de nos préoccupations. Mais quand l'énergie revient, les problèmes aussi.

Il faut pratiquer la méditation doucement mais régulièrement, en la prolongeant dans notre vie quotidienne et sans jamais perdre une occasion d'examiner la vie dans sa vraie nature – nos problèmes y compris. En pratiquant ainsi, nous demeurons en profonde communion avec la vie.

Être en pleine conscience en entendant sonner une cloche

Dans ma tradition, on utilise les cloches du temple pour revenir au moment présent. Chaque fois que nous entendons la cloche, nous cessons de parler, de penser et nous revenons à nous-mêmes. Nous inspirons, expirons et nous sourions. Quoi que l'on fasse à cet instant, nous nous arrêtons pour un moment et profitons simplement de notre respiration. Parfois, nous nous récitons aussi ces vers :

Écoute, écoute !
Ce son merveilleux me fait revenir à mon vrai moi.

En inspirant, on dit : « Écoute, écoute. » Et quand on expire, on dit : « Ce son merveilleux me fait revenir à mon vrai moi. »

Depuis que je suis en Occident, j'ai rarement entendu la cloche des temples bouddhistes. Mais heureusement, partout en Europe, il y a les cloches des églises. Il n'y en a pas apparemment autant aux États-Unis : c'est dommage. Chaque fois que je donne une conférence en Suisse, je me sers des cloches de l'église pour la pratique de la pleine conscience. Quand elles sonnent, j'arrête de parler. Et nous écoutons tous leur merveilleux son. Nous l'apprécions tellement ; je le trouve plus intéressant que ma conférence ! Quand nous entendons la cloche, on a le droit de s'arrêter et de profiter de sa respiration, de reprendre contact avec les merveilles de la vie qui sont tout autour de nous – les fleurs, les enfants, les sons. Chaque fois que nous revenons à nous-mêmes, nous recréons les conditions favorables pour vivre la vie au moment présent.

Un jour, à Berkeley, je proposai aux professeurs et aux étudiants la chose suivante : chaque fois que les cloches se mettraient à sonner sur le campus, ils devraient tous s'arrêter et respirer avec conscience. Tout le monde devrait prendre le temps d'apprécier le fait d'être en vie ! On ne doit pas passer sa journée à courir partout. On doit apprendre à vraiment apprécier les cloches des églises et des écoles. Les cloches sont belles et elles ont le pouvoir de nous éveiller.

Si vous avez une cloche à la maison, vous pouvez pratiquer la respiration et le sourire à partir de ce son ravissant. Mais ne l'emmenez pas au bureau ou à l'usine. Utilisez tout autre son pour vous rappeler de faire une pause, d'inspirer, d'expirer et de profiter du moment présent. Le bip qui se déclenche quand vous oubliez d'attacher votre ceinture en voiture est une cloche de vigilance. Même des non-sons comme les rayons du soleil à travers une vitre sont des cloches de conscience qui peuvent nous rappeler qu'il faut revenir à soi, respirer, sourire et vivre pleinement le moment présent.

Le biscuit de l'enfance

Quand j'avais quatre ans, ma mère me ramenait toujours un biscuit en revenant du marché. Je l'emmenais dans le jardin – et je prenais le temps de le déguster, parfois pendant trente à quarante-cinq minutes... pour un seul biscuit ! Je prenais une petite bouchée et je regardais le ciel. Ensuite, je touchais le chien avec mes pieds et je reprenais une petite bouchée. Je profitais simplement d'être là avec le soleil, la terre, les haies de bambou, le chat, le chien, les fleurs. J'arrivais à le faire car je n'avais pas à m'inquiéter de grand-chose. Je ne pensais pas au futur, je ne regrettais pas le passé. J'étais entièrement dans le moment présent – avec mon gâteau, le chien, les haies de bambou, le chat et tout le reste.

Il est possible de manger nos repas aussi lentement et joyeusement que je le faisais avec le biscuit dans mon enfance. Vous croyez peut-être avoir perdu le biscuit de votre enfance. Moi, je suis sûr qu'il est toujours là, quelque part dans votre cœur. Tout est encore et toujours *là* – et si vous le voulez vraiment, vous pouvez le retrouver. Manger en pleine conscience est l'une des pratiques méditatives les plus essentielles. Il est possible de manger comme si l'on retrouvait le biscuit de son enfance. Le moment présent est plein de joie et de bonheur. Avec un peu d'attention, vous vous en apercevrez.

Méditation sur la mandarine

Si je vous offre une mandarine fraîchement cueillie, la façon dont vous allez l'apprécier dépend de votre état de conscience. Si vous êtes libres de soucis et d'angoisse, vous en profiterez davantage. Si vous êtes sous l'emprise de la colère ou de la peur, la mandarine risque de ne pas vous apparaître dans toute sa réalité.

Un jour, j'offris à des enfants un panier plein de mandarines. Le panier passa de main en main. Chaque enfant prit une mandarine et la mit dans sa paume. Nous regardions tous notre mandarine : les enfants furent invités à méditer sur son origine. Ils ne virent pas simplement leur propre mandarine, mais aussi la mère de la mandarine, le mandarinier. Sur mon conseil, ils commencèrent à visualiser les fleurs dans l'éclat du soleil et sous la pluie. Puis ils virent la chute des pétales et le petit fruit apparaître. Sous l'éclat du soleil comme sous la pluie, la petite mandarine grandit. Enfin, quelqu'un la cueillit – et la voilà. Après avoir vu cela, chaque enfant fut invité à éplucher lentement la mandarine tout en remarquant les embruns s'échapper de sa peau et le parfum du fruit. Ils portèrent alors la mandarine à la bouche et la croquèrent – en pleine conscience de la texture et du goût de ce fruit, juteux à souhait. Nous mangeâmes ainsi lentement.

Chaque fois que vous regardez une mandarine, vous pouvez voir profondément en elle. Vous pouvez voir tout l'univers dans une mandarine. Quand vous l'épluchez et que vous la sentez, c'est merveilleux. Vous pouvez prendre le temps de manger une mandarine et d'être très heureux.

L'eucharistie

L'eucharistie est un moyen de pratiquer la vigilance. Quand Jésus rompit le pain et qu'il le partagea avec ses disciples, il dit : « Mangez. Ceci est mon corps. » Il savait que si ses disciples mangeaient un morceau de pain en pleine conscience, ils auraient la vraie vie. Dans leur vie quotidienne, il leur était arrivé de manger du pain dans l'oubli – du coup, le pain n'était pas du tout du pain ; c'était un fantôme. Dans nos vies quotidiennes, nous voyons peut-être les gens autour de nous. Mais si l'attention nous fait défaut, ces gens ne sont alors que des fantômes – et non de vraies personnes. Nous devenons nous-mêmes des fantômes. Pratiquer la pleine conscience nous permet d'être une vraie personne. Quand on est une vraie personne, on voit de vraies personnes autour de soi et la vie est présente dans toute sa richesse. La pratique de la dégustation du pain, d'une mandarine ou d'un biscuit, c'est la même chose.

Quand nous respirons, quand nous sommes conscients, quand nous regardons au plus profond de notre nourriture, la vie devient réelle à cet instant précis. Pour moi, le rite de l'Eucharistie est une merveilleuse pratique méditative. D'une façon drastique, Jésus a essayé d'éveiller ses disciples.

Manger en pleine conscience

Il y a quelques années, j'ai demandé à des enfants : « À quoi sert de prendre son petit déjeuner ? » Un garçon a répondu : « À avoir de l'énergie pour la journée. » Un autre a dit : « Le but de prendre son petit déjeuner, c'est de prendre son petit déjeuner. » À mon sens, cet enfant a vu plus juste que l'autre. Le but de manger, c'est de manger.

Manger un repas en pleine conscience est une pratique importante. On éteint la télé, on pose le journal. On travaille ensemble cinq ou dix minutes, on met la table et on finit ce qui doit être fini. Pendant ces quelques minutes, on peut être très heureux. Quand la nourriture est sur la table et que tout le monde est assis, on pratique la respiration : « J'inspire, je calme mon corps. J'expire, je souris », trois fois. On peut se retrouver complètement après ces trois respirations.

Puis on regarde chacun des convives tout en respirant, afin d'entrer en contact avec soi-même et avec tous ceux qui sont autour de la table. On n'a pas besoin de deux heures pour voir une autre personne. Si l'on est vraiment établi en soi-même, il suffit d'une ou deux secondes – c'est suffisant pour voir. Dans une famille de cinq personnes, seules cinq à dix secondes sont nécessaires pour cette pratique du « voir et regarder ».

Après avoir respiré, on sourit. Quand on est assis autour d'une table avec d'autres, on a la chance de pouvoir offrir un authentique sourire d'amitié et de compréhension. C'est très facile mais peu de gens le font. Pour moi, c'est la plus importante des pratiques. On regarde chaque convive et on lui sourit. Respirer et sourire tous ensemble est une pratique très importante. Si les membres d'un même foyer ne peuvent pas se sourire, cela devient très dangereux pour eux.

Après avoir respiré puis souri, on regarde son assiette de façon à rendre la nourriture vraiment réelle. Cette nourriture témoigne de notre rapport à la terre. Chaque bouchée contient la vie du soleil et de la terre. La nourriture se révèle à nous aussi loin qu'on veut bien la regarder. On peut voir et goûter l'univers tout entier dans un morceau de pain ! Contempler notre nourriture pendant quelques secondes puis la manger en pleine conscience est une pratique qui peut nous apporter beaucoup de bonheur.

C'est une chance que de pouvoir s'asseoir au milieu de sa famille et d'amis et de partager un bon repas – une chance qui n'est pas offerte à tous. Il y a beaucoup d'affamés dans le monde. Quand je tiens un bol de riz ou un morceau de pain, je dois savoir que j'ai de la chance : je ressens de la compassion pour tous ceux qui n'ont rien à manger et n'ont ni famille ni amis. Ceci est une pratique fondamentale. Nul besoin d'aller au temple ou à l'église pour pratiquer ça. Cela se pratique ici même, à la table du dîner. Manger en pleine conscience fait croître les germes de la compassion et de la compréhension qui nous donneront la force de faire quelque chose pour les affamés et les solitaires.

Pour vous aider à manger en pleine conscience, essayez de vivre un repas silencieux de temps en temps. Au cours de votre premier repas silencieux, vous vous sentirez peut-être mal à l'aise. Mais après un peu d'habitude, vous réaliserez que manger en silence apporte beaucoup de paix et de bonheur. Tout comme l'on éteint la télévision avant de manger, on peut « éteindre » la conversation afin de profiter du repas et de la présence des autres.

Je ne recommande pas de manger en silence tous les jours. Se parler les uns aux autres peut être une façon merveilleuse d'être ensemble en pleine conscience. Mais il y a différentes sortes de conversations. Certains sujets nous séparent : par exemple, quand l'on évoque les défauts de tel ou tel. Si on laisse ce genre de considération dominer le repas, les plats préparés avec soin perdent de leur valeur. En revanche, quand l'on parle de choses qui nourrissent notre conscience du repas et de l'être ensemble, on cultive le genre de bonheur dont on a besoin pour grandir. Par rapport au moment où l'on parlait des défauts des uns et des autres, on s'aperçoit que le morceau de pain dans notre bouche est bien plus nourrissant à ce moment-là. Il nous vivifie et donne réalité à la vie.

Du coup, en mangeant, on devrait s'abstenir d'évoquer des sujets qui peuvent détruire la conscience du repas en famille. Mais on doit se sentir libre de dire des choses qui peuvent nourrir la conscience du bonheur. Par exemple, s'il y a un plat que vous aimez beaucoup, vous pouvez demander aux autres s'ils l'aiment aussi – et si l'un d'eux ne l'aime pas, vous pouvez l'aider à apprécier ce plat préparé avec amour. Si quelqu'un pense à autre chose qu'à ce qui se trouve sur la table (par exemple à ses soucis au bureau ou avec des amis), il perd ce bon moment, ce bon repas. Vous pouvez dire : « Ce plat est délicieux, n'est-ce pas ? » pour l'extirper de ses soucis et le ramener ici et maintenant, afin de l'aider à profiter de votre présence et de ce plat délicieux. Vous devenez un *bodhisattva*, guidant un être humain vers l'illumination. Les enfants en particulier sont tout à fait capables de pratiquer la conscience et de rappeler aux autres de faire de même.

Faire la vaisselle

Pour moi, l'idée selon laquelle faire la vaisselle est une corvée n'est juste que pour celui qui n'est pas en train de la faire. Une fois que vous êtes debout devant l'évier, les manches retroussées et les mains dans l'eau chaude, c'est vraiment très agréable. J'aime prendre le temps de laver chaque assiette, d'être pleinement conscient de chaque plat, de l'eau et du mouvement de mes mains. Je sais que si je me dépêche pour manger mon dessert plus vite, le temps passé à laver la vaisselle sera désagréable et ne vaudra pas la peine d'être vécu. Ce serait dommage car chaque minute, chaque petit bout de vie est un miracle. Les assiettes elles-mêmes et le fait que je suis ici en train de les laver sont un miracle !

Si je suis incapable de laver la vaisselle dans la joie, si je veux finir plus vite pour pouvoir aller manger mon dessert, je ne profiterai pas de mon dessert non plus. La fourchette à la main, je penserai à ce que je vais faire ensuite. La texture et la saveur du dessert, tout comme le plaisir de la dégustation, tout sera perdu.

Chaque pensée, chaque action au soleil de la conscience devient sacrée. Dans cette lumière, aucune barrière n'existe entre le sacré et le profane. Je dois avouer que je mets un peu plus de temps à faire la vaisselle. Mais je vis pleinement chaque moment et je suis heureux. Laver la vaisselle est à la fois un moyen et une fin – c'est-à-dire qu'on ne lave pas seulement la vaisselle pour avoir des assiettes propres, mais aussi juste pour laver la vaisselle, pour vivre pleinement chaque instant où l'on lave la vaisselle.

Méditer en marchant

Méditer en marchant peut être très agréable. On marche doucement, seul ou avec des amis, si possible dans un bel endroit. Méditer en marchant, c'est profiter vraiment de la promenade – on marche non pas pour arriver, mais juste pour marcher. Le but est d'être présent dans l'instant, conscient de sa respiration et de sa marche en goûtant chaque pas. Il faut se débarrasser de tous les soucis et toutes les angoisses : ne penser ni au futur ni au passé, juste profiter du moment présent. On peut prendre la main d'un enfant. On marche, on fait des pas comme si on était la personne la plus heureuse sur Terre.

Dans la vie, on marche tout le temps. Mais notre marche ressemble le plus souvent à une course ! Quand on marche de cette façon, on imprime alors anxiété et tristesse sur la Terre. Il nous faut marcher en imprimant paix et sérénité. On peut tous faire ainsi, pourvu qu'on le veuille vraiment. Tout enfant peut le faire. Si on peut faire un pas comme cela, on peut en faire deux, trois, quatre et cinq. En étant aptes à faire un pas paisible et heureux, on travaille pour la paix et le bonheur de l'humanité tout entière. Méditer en marchant est une pratique merveilleuse.

Dehors, quand on médite en marchant, on marche un petit peu plus doucement que d'habitude. On coordonne notre respiration et nos pas. Par exemple, on peut faire trois pas pour l'inspiration puis trois pas pour l'expiration. On peut donc dire : « Dedans, dedans, dedans – dehors, dehors, dehors. » « Dedans », c'est pour nous aider à identifier l'inspiration. Chaque fois que l'on appelle quelque chose par son nom, on rend cette chose plus réelle – c'est comme dire le nom d'un ami.

Si vos poumons veulent quatre pas au lieu de trois, donnez-leur quatre pas. S'ils ne veulent que deux pas, donnez-leur-en deux. La longueur de votre inspiration n'est pas nécessairement la même que celle de l'expiration. Par exemple, vous pouvez faire trois pas à chaque inhalation et quatre à chaque exhalation. Si vous vous sentez heureux, paisible et joyeux pendant que vous marchez, vous pratiquez correctement.

Faites attention au contact entre vos pieds et la Terre. Marchez comme si vous embrassiez la Terre avec vos pieds. Nous avons fait beaucoup de tort à la Terre. Il est temps maintenant de prendre soin d'elle. Nous apportons notre paix et notre calme à la surface de la Terre et partageons la leçon de l'amour. Nous marchons dans cet esprit-là. De temps en temps, si nous voyons quelque chose de beau, nous pouvons avoir envie de nous arrêter et de regarder – un arbre, une fleur, quelques enfants qui jouent. En regardant, nous continuons à suivre notre respiration, sous peine de perdre la jolie fleur et d'être repris par nos pensées. Quand on veut reprendre la marche, on recommence simplement à marcher. Chacun de nos pas fait se lever une brise fraîche, rafraîchissante pour notre âme et notre esprit. Sous chacun de nos pas s'épanouit une fleur. Cela n'arrive que si on ne pense ni au futur ni au passé – et si l'on est conscient qu'il n'y a de vie qu'au moment présent.

Méditer au téléphone

Le téléphone est très pratique mais il peut nous tyranniser. Sa sonnerie peut nous déranger. On peut être interrompus par un trop grand nombre d'appels. Quand on parle au téléphone, on oublie parfois que l'on parle au téléphone – on perd alors un temps précieux (et de l'argent). Souvent, on parle de choses qui ne sont pas importantes. Combien de fois n'avons-nous pas fait la grimace en recevant la facture de téléphone ? La sonnerie du téléphone crée en nous une sorte de vibration – et peut-être quelque anxiété : « Qui appelle ? Bonnes ou mauvaises nouvelles ? » Pourtant, une force nous pousse vers le téléphone et l'on ne peut pas y résister. Nous sommes victimes de notre propre téléphone.

Je recommande ceci : la prochaine fois que vous entendez votre téléphone sonner, restez simplement là où vous êtes. Inspirez et expirez en conscience. Souriez et récitez ces vers : « Écoute, écoute. Ce son merveilleux me fait revenir à mon vrai moi. » À la seconde sonnerie, vous pouvez répéter ce vers et votre sourire va encore se renforcer. Quand vous souriez, les muscles de votre visage se détendent et vos tensions disparaissent. Vous pouvez vous permettre de respirer et de sourire ainsi. Car si la personne qui appelle a quelque chose d'important à dire, elle attendra certainement trois sonneries. Quand le téléphone sonne pour la troisième fois, vous pouvez continuer à respirer et à sourire tout en marchant vers le téléphone lentement, d'un air souverain. Vous êtes votre propre maître. Vous savez que votre sourire n'est pas destiné à vous seul, mais aussi à l'autre. Si vous êtes irrité ou en colère, l'autre va recevoir votre négativité. Mais comme vous avez respiré avec attention et que vous souriez, vous demeurez dans la pleine conscience. Quand vous décrochez le téléphone, quelle chance pour la personne qui vous appelle !

Avant de passer un coup de téléphone, vous pouvez aussi inspirer puis expirer trois fois. Ensuite, composez le numéro. Quand vous entendez la sonnerie, vous savez que votre amie pratique la respiration, qu'elle sourit et qu'elle ne décrochera pas avant la troisième sonnerie. Alors dites-vous à vous-même : « Elle respire, pourquoi pas moi ? » Vous inspirez et expirez, elle aussi. C'est très beau !

Il n'est pas nécessaire d'aller dans un centre de méditation pour pratiquer cette merveilleuse méditation. Vous pouvez la vivre au bureau ou chez vous. Je ne sais pas comment font ceux qui travaillent dans les centres d'appels, au milieu de tant de téléphones qui sonnent en même temps. Je compte sur vous pour que ces gens puissent pratiquer la méditation au téléphone. Mais ceux d'entre nous qui ne sont pas téléacteurs ont le droit de respirer trois fois. Pratiquer la méditation téléphonique peut contrebalancer le stress et la dépression. Cela peut être source de pleine conscience au quotidien.

Méditer en conduisant

Au Vietnam, il y a quarante ans, je fus le premier moine à rouler en vélo. À cette époque, ce n'était pas très « monacal ». Mais aujourd'hui, les moines conduisent des motos et roulent en voiture. Nous devons adapter nos pratiques de méditation à la réalité d'aujourd'hui. J'ai donc écrit une simple strophe que vous pouvez vous réciter avant de démarrer la voiture. J'espère qu'elle vous aidera :

> *Avant de démarrer la voiture,*
> *Je sais où je vais.*
> *La voiture et moi, nous sommes un.*
> *Si la voiture va vite, je vais vite.*

Parfois, nous n'avons pas besoin de la voiture. Mais comme nous voulons échapper à nous-mêmes, nous allons faire un tour. Nous ressentons un vide en nous et nous ne voulons pas y faire face. Nous n'aimons pas être trop occupés... mais dès que nous avons un moment de libre, nous avons peur d'être seuls avec nous-mêmes ! Nous voulons fuir. Nous allumons la télévision, décrochons le téléphone, lisons un roman, sortons voir un ami, ou encore prenons la voiture et allons quelque part. Notre civilisation nous apprend à agir ainsi : elle met à notre disposition beaucoup de choses que nous pouvons utiliser pour perdre contact avec nous-mêmes. Si nous récitons ce poème au moment de tourner la clé de contact, ce peut être comme une flambée de conscience qui nous fait comprendre que nous n'avons besoin d'aller nulle part. Où que l'on aille, notre « moi » sera avec nous ; on ne peut pas s'échapper. Il vaut donc peut-être mieux – et c'est peut-être plus agréable – laisser tomber la voiture et aller faire une marche méditative.

Au cours des dernières années, cinq millions de kilomètres carrés de forêts ont été détruits par les pluies acides, en partie à cause de nos voitures. « Avant de démarrer la voiture, je sais où je vais » est une question fondamentale. Où sommes-nous censés aller ? Vers notre propre destruction ? Si les arbres meurent, alors les humains mourront aussi. Si le voyage que vous faites est nécessaire, alors n'hésitez pas. Mais si vous réalisez que ce n'est pas très important, vous pouvez ôter la clé de contact et aller plutôt faire un tour au bord de la rivière ou dans un parc. Vous reviendrez à vous-même et serez à nouveau ami avec les arbres.

« La voiture et moi, nous sommes un. » Nous avons l'impression d'être le patron, la voiture n'étant qu'un instrument. Mais ce n'est pas vrai. Chaque fois qu'on utilise un instrument ou une machine, on change. Un violoniste et son violon deviennent très beaux. Un homme avec un pistolet devient très dangereux. Quand on utilise une voiture, nous sommes nous-mêmes *et* la voiture.

Conduire est une tâche quotidienne dans cette société. Je ne vous suggère pas d'arrêter de conduire, simplement de le faire en conscience. Quand on conduit, on ne pense qu'à arriver. Du coup, chaque fois que l'on voit un feu rouge, on n'est pas très content. Le feu rouge est une sorte d'ennemi qui nous empêche d'atteindre notre but. Mais nous pouvons aussi voir le feu rouge comme une cloche de vigilance, nous rappelant de faire retour au moment présent. La prochaine fois que vous verrez un feu rouge, souriez-lui, s'il vous plaît – et retournez à votre respiration. « J'inspire, je calme mon corps. J'expire, je souris. » Il est aisé de transformer un sentiment d'irritation en une sensation agréable. Bien qu'il s'agisse du même feu rouge, il devient différent. Il devient un ami qui nous aide à nous rappeler que ce n'est qu'au moment présent que nous pouvons vivre nos vies.

Je dirigeais une retraite à Montréal il y a quelques années. Je devais rejoindre les montagnes. Un ami me fit traverser la ville. Chaque fois qu'une voiture s'arrêtait devant nous, je remarquais la phrase « Je me souviens »[1] inscrite

---

1. En français dans le texte *(N.d.T.)*.

sur la plaque d'immatriculation. Je ne savais pas très bien ce dont ces gens voulaient se souvenir – peut-être de leurs origines françaises ? – mais je dis à mon ami que j'avais un cadeau pour lui. « Chaque fois que tu verras une voiture avec cette phrase – « Je me souviens » – souviens-toi de respirer et de sourire. C'est une cloche de vigilance. Tu auras beaucoup d'occasions de respirer et de sourire en conduisant à travers Montréal. »

Il fut ravi et il partagea cette pratique avec ses amis. Plus tard, il vint me voir à Paris. Il me dit qu'il était plus difficile de pratiquer à Paris car il n'y avait pas de « Je me souviens ». Je lui dis : « Il y a des feux rouges et des stops partout dans Paris. Pourquoi ne pratiques-tu pas avec eux ? » Après être rentré à Montréal et être repassé par Paris, il m'écrivit une très jolie lettre : « Thây, ce fut très facile de pratiquer à Paris. Chaque fois qu'une voiture s'arrêtait devant moi, je voyais cligner les yeux de Bouddha. Il me fallait lui répondre en respirant et en souriant – il n'y avait pas de meilleure réponse que celle-là. J'ai adoré conduire dans Paris. »

La prochaine fois que vous êtes pris dans un embouteillage, ne vous battez pas. C'est inutile de se battre. Calez-vous bien dans votre siège et souriez avec bonté et compassion. Profitez du moment présent, tout en respirant et en souriant – et rendez heureux les passagers de votre voiture. Le bonheur est là si vous savez comment respirer et sourire. On trouve toujours le bonheur dans le moment présent. Pratiquer la méditation, c'est revenir au moment présent pour rencontrer la fleur, le ciel bleu, l'enfant. Le bonheur est là – disponible.

Décloisonner notre vie

Nous avons tellement de compartiments dans nos vies. Comment faire en sorte que la méditation soit aussi dans la cuisine et au bureau, par exemple ? En salle de méditation, nous sommes assis tranquilles et essayons d'avoir conscience de chaque respiration. Comment notre assise peut-elle influencer le temps de non-assise ? Quand un docteur vous fait une piqûre, il n'y a pas que votre bras qui en profite, mais tout votre corps. Quand vous méditez assis une demi-heure par jour, cela vaut pour les vingt-quatre heures de la journée, pas seulement pour la demi-heure d'assise. Un sourire, une respiration bénéficient à la journée entière, pas seulement au moment donné. Nous devons pratiquer en décloisonnant pratique et non-pratique.

Lorsqu'on marche en salle de méditation, on veille à faire des pas très lents. Mais quand on part à l'aéroport ou au supermarché, on devient une personne tout autre. On marche très vite, sans faire attention. Comment pratiquer la pleine conscience à l'aéroport et au supermarché ? J'ai un ami qui respire entre ses coups de téléphone et ça l'aide beaucoup. Un autre médite en marchant d'un rendez-vous professionnel à l'autre : il marche en pleine conscience dans le centre de Denver. Les passants lui sourient. Et ses rendez-vous, même face à des interlocuteurs difficiles, se révèlent souvent assez agréables et très efficaces.

Nous devrions arriver à sortir la pratique de la méditation du centre de méditation et à l'intégrer

50

dans nos vies quotidiennes. Pour ce faire, il faut en parler entre nous. Pratiquez-vous la respiration entre un coup de téléphone et un autre ? Pratiquez-vous le sourire en coupant des carottes ? Pratiquez-vous la relaxation après des heures de travail intense ? Ce sont des questions pratiques. Si vous savez appliquer la méditation aux heures de repas, aux heures de loisir, aux heures de sommeil, celle-ci pénétrera votre vie quotidienne – et elle aura aussi un effet impressionnant sur vos relations sociales. La pleine conscience peut pénétrer les activités de la vie quotidienne – chaque minute, chaque heure de notre vie quotidienne – et n'être pas seulement la description de quelque chose d'éloigné.

Respirer et faucher

Avez-vous déjà coupé l'herbe avec une faux ? Peu de gens le font de nos jours. Il y a de ça environ dix ans, je ramenai une faux à la maison et tentai de m'en servir pour couper l'herbe de mon jardin. Il me fallut plus d'une semaine avant de trouver la façon appropriée de m'en servir. La façon dont vous vous tenez, dont vous tenez la faux, l'angle de la lame par rapport à l'herbe : tout est important. Je découvris qu'en coordonnant le mouvement de mes bras et le rythme de ma respiration, en travaillant sans hâte en pleine conscience, j'étais capable de travailler plus longtemps. Quand je n'agissais pas de la sorte, j'étais fatigué au bout de dix minutes.

Les dernières années, j'ai évité de me fatiguer au point d'être essoufflé. Je dois faire attention à mon corps, le traiter avec respect comme le fait un musicien de son instrument. J'applique la non-violence à mon corps car il n'est pas un simple outil pour faire des choses. Il est une fin en soi. Je traite ma faux de la même façon. Quand je l'utilise en suivant ma respiration, je sens que ma faux et moi respirons tous les deux en rythme. Ceci est vrai pour de très nombreux autres outils.

Un jour, un vieil homme était en visite chez mon voisin. Il proposa de me montrer comment on se servait de la faux. Il s'y connaissait bien mieux que moi... mais en gros il faisait les mêmes mouvements et utilisait la même position que moi ! Plus surprenant, lui aussi coordonnait ses mouvements et sa respiration. Depuis lors, chaque fois que je vois un faucheur, je sais qu'il pratique la pleine conscience.

L'absence de but

En Occident, on est tous très déterminés par nos buts. On sait où on veut aller – et on essaie d'y aller tout droit. C'est peut-être utile mais, souvent, on oublie de profiter du voyage.

Il y a un mot dans le bouddhisme qui signifie « le fait d'être sans souhait » ou « le fait d'être sans but ». L'idée, c'est de ne pas placer quelque chose devant soi pour aller le chercher car tout est déjà là, en vous. Quand on médite en marchant, on n'essaie pas d'arriver quelque part. On fait simplement des pas paisibles, dans la joie. Si on pense au futur, ou à ce qu'on veut réaliser, on s'égare. C'est vrai aussi en méditation assise. On s'assied juste pour profiter de l'assise : on ne s'assied pas dans le but d'atteindre quelque chose. Ceci est vraiment important. Chaque moment de méditation assise nous ramène à la vie. Nous devrions nous asseoir d'une façon qui nous permette d'apprécier l'assise pendant tout le moment où nous serons assis. Que l'on mange une mandarine, que l'on boive une tasse de thé ou que l'on médite en marchant, nous devrions le faire d'une façon qui soit « sans but ».

Nous nous disons souvent : « Ne reste donc pas assis comme ça, remue-toi ! » Mais si l'on pratique la pleine conscience, on découvre quelque chose d'inhabituel. On découvre que c'est peut-être le contraire qui est utile : « Arrête donc de remuer : assieds-toi. » Nous devons apprendre à nous arrêter de temps en temps pour y voir plus clair. Au début, « s'arrêter » peut sembler une résistance à la vie moderne... à tort. Ce n'est pas simplement une réaction : c'est une façon de vivre. La survie de l'humanité dépend de notre capacité à nous arrêter de courir. Nous avons déjà cinquante mille bombes nucléaires – et on ne peut pas s'empêcher d'en fabriquer davantage ! « S'arrêter », ce n'est pas simplement arrêter le négatif – mais permettre à une guérison positive de prendre place. Tel est le but de notre pratique : non d'éviter la vie, mais de démontrer que le bonheur est possible à la fois aujourd'hui et dans l'avenir.

Les fondations du bonheur passent par la pleine conscience. La condition première pour être heureux, c'est d'avoir conscience d'être heureux. Si nous n'avons pas conscience que nous sommes heureux, nous ne sommes pas vraiment heureux. Quand on a mal aux dents, on se dit que ne pas avoir mal aux dents doit être une chose merveilleuse. Mais quand on n'a plus mal aux dents, on n'est toujours pas heureux ! L'absence de mal de dents, c'est très agréable. Il y a tant de choses dont on peut jouir. Mais si l'on ne pratique pas la pleine conscience, on ne les apprécie pas. Quand on pratique la pleine conscience, on en arrive à chérir ces choses et à apprendre à les protéger. En prenant bien soin du moment présent, on prend bien soin du futur. Travailler pour la paix future, c'est travailler pour la paix au moment présent.

Notre vie est une œuvre d'art

À la fin d'une retraite en Californie du Sud, un artiste me demanda : « Comment puis-je regarder une fleur de façon à en tirer le meilleur parti pour mon art ? » Je répondis : « Si tu regardes de cette façon-là, tu ne seras pas en contact avec la fleur. Abandonne tous tes projets pour être avec la fleur – sans intention de l'exploiter ou d'obtenir quelque chose d'elle. » Ce même artiste me dit : « Quand je suis avec un ami, je veux en profiter. » Bien sûr que l'on peut profiter d'un ami, mais un ami est plus qu'une source de profit. Être avec un ami, sans penser à lui demander son soutien, son aide, son conseil, est un art.

C'est devenu une habitude de considérer les choses avec l'intention d'en tirer quelque chose. On appelle ça le « pragmatisme » – on dit aussi que la vérité paie. Si on médite avec l'objectif d'atteindre la vérité, il nous semble qu'on sera bien récompensé. En méditation, on s'arrête – et on regarde profondément. On s'arrête simplement pour être là, avec nous-mêmes et avec le monde. Quand on est capable de s'arrêter, on commence à voir. Et si on peut voir, on peut comprendre. La paix et le bonheur découlent de ce processus. Nous devrions maîtriser l'art de nous arrêter, afin d'être vraiment avec notre ami et avec la fleur.

Comment pouvons-nous apporter les éléments de la paix à une société habituée à faire du profit ? Comment notre sourire peut-il être source de joie – et pas seulement une manœuvre diplomatique ? Quand on se sourit à soi-même, ce n'est pas de la diplomatie : c'est la preuve que nous sommes nous-mêmes, que nous avons les pleins pouvoirs sur nous-mêmes. Est-il possible d'écrire un poème sur le fait de s'arrêter, sur l'absence de but, ou simplement sur l'être ? Peut-on peindre quelque chose à partir de cela ? Tout ce qu'on fait est un acte de poésie ou un tableau si on le fait avec pleine conscience. Faire pousser une laitue, c'est de la poésie. Se rendre à pied au supermarché peut être un tableau.

Quand on ne se préoccupe pas de savoir si ceci ou cela est une œuvre d'art et que l'on agit simplement à chaque moment avec pleine conscience, chaque minute de notre vie est une œuvre d'art. Même si l'on n'écrit pas ou si l'on ne peint pas, nous sommes en création. Nous sommes pleins de la beauté, de la joie, de la paix. Et nous rendons la vie plus belle pour beaucoup de gens. Parfois, il vaut mieux ne pas évoquer l'art en employant le mot « art ». Si l'on agit simplement avec conscience et intégrité, notre art fleurira – et l'on n'aura même plus besoin d'en parler. Quand on sait comment *être la paix*, l'art est à nos yeux un très beau moyen de la partager. L'expression artistique aura lieu d'une façon ou d'une autre, mais *être* est essentiel. Nous devons donc retourner à nous-mêmes. Grâce à la joie et à la paix intérieure, nos créations artistiques se font avec naturel et sont positives pour le monde.

L'espoir comme un obstacle

L'espoir est important parce qu'il peut aider à supporter le présent. Si l'on croit que demain sera meilleur, on peut supporter une difficulté aujourd'hui. Mais c'est le maximum que l'espoir puisse faire pour nous – alléger certaines souffrances. Quand je pense profondément à la nature de l'espoir, j'y vois quelque chose de tragique. Puisqu'on s'accroche à notre espoir qui est dans le futur, on ne concentre pas nos énergies et nos capacités sur le moment présent. On utilise l'espoir pour croire que le meilleur est à venir, que nous atteindrons la paix – ou le Royaume de Dieu. L'espoir devient une sorte d'obstacle. Si vous pouvez vous retenir d'espérer, vous pouvez vous immerger complètement dans le moment présent et découvrir la joie qui est déjà là.

L'illumination, la paix et la joie, personne d'autre ne vous les donnera. Le bien est en nous, et si l'on plonge profondément dans le moment présent, l'eau jaillira. Nous devons revenir au moment présent pour être vraiment vivants. En pratiquant la respiration consciente, on pratique le retour au moment présent où tout a lieu.

La civilisation occidentale attache tant d'importance à l'espoir qu'elle y sacrifie le moment présent. L'espoir, c'est pour le futur. Il ne peut pas nous aider à découvrir la joie, la paix ou l'illumination au moment présent. Bien des religions sont basées sur la notion d'espoir – et cette injonction à refréner l'espoir pourra entraîner de vives réactions chez certains d'entre vous. Mais le choc peut aussi faire émerger quelque chose d'important. Je ne vous demande pas d'abandonner l'espoir, je dis que l'espoir ne suffit pas. L'espoir peut s'ériger en obstacle et ce n'est pas en puisant à son énergie que vous reviendrez entièrement au moment présent. En revanche, rassembler vos énergies en cet instant afin de regarder ce qui s'y produit génère une percée immédiate dans la conscience – et vous fait découvrir la joie et la paix, en vous-même et autour de vous ; à l'instant même.

A. J. Muste, le leader du mouvement pour la paix qui a inspiré des millions de personnes en Amérique au milieu du XXᵉ siècle, a dit ceci : « Il n'y a pas de chemin vers la paix, la paix est le chemin. » Ceci signifie que nous pouvons réaliser la paix au moment présent avec notre regard, notre sourire, nos mots et nos actes. Œuvrer pour la paix n'est pas un moyen en soi. Chaque pas que nous faisons devrait être *la paix*. Chaque pas que nous faisons devrait être *la joie*. Chaque pas que nous faisons devrait être *le bonheur*. Si nous sommes déterminés, nous pouvons y arriver. Nous n'avons pas besoin du futur. Nous pouvons sourire et nous détendre. Tout ce que nous voulons est ici, au moment présent.

Voir profondément une fleur

Voici l'histoire d'une fleur, très connue dans les milieux zen. Un jour, le Bouddha montra une fleur à une assemblée de mille deux cent cinquante·moines et moniales. Il resta longtemps ainsi sans rien dire. L'assemblée était parfaitement silencieuse. Tout le monde semblait réfléchir intensément, tentant de comprendre la signification de ce geste du Bouddha. Puis, soudain, le Bouddha se mit à sourire. Il sourit parce que quelqu'un dans le public s'était justement mis à lui sourire, à lui ainsi qu'à la fleur. C'était un moine du nom de Mahakashyapa. Il était le seul à sourire. Le Bouddha lui rendit son sourire et dit : « Ce trésor de perspicacité, je l'ai transmis à Mahakashyapa. » Cette histoire a été débattue par des générations d'adeptes du zen et l'on continue encore aujourd'hui à tenter de déchiffrer sa signification. Pour moi, c'est très simple. Quand quelqu'un prend une fleur et vous la montre, il veut que vous la voyiez. Si vous n'arrêtez pas de penser, vous ratez la fleur. Celui qui ne pensait pas, qui était juste lui-même, fut capable de vraiment rencontrer la fleur – et il sourit.

C'est le problème de la vie. Si nous ne sommes pas pleinement nous-mêmes, au moment présent, nous ratons tout. Quand un enfant vient à vous en souriant, si vous n'êtes pas vraiment là – pensant au futur ou au passé, ou préoccupé par d'autres problèmes –, alors l'enfant n'est pas vraiment là pour vous. La technique d'être en vie, c'est de retourner à vous-même de façon à ce que l'enfant apparaisse comme une merveilleuse réalité. Vous pouvez alors le voir sourire et le prendre dans vos bras.

Je voudrais partager un poème avec vous. Il fut écrit par un ami, mort à vingt-huit ans à Saigon il y a trente ans. Après sa mort, on retrouva de nombreux beaux poèmes dont il était l'auteur. Je fus stupéfait en lisant ce poème. Il n'y a que quelques vers, mais c'est très beau :

> *Debout tranquillement devant la clôture,*
> *Tu souris de ton merveilleux sourire.*
> *Je suis sans voix, et mes sens sont pleins*
> *Des sons de ta magnifique chanson,*
> *Sans commencement et sans fin.*
> *Je m'incline profondément devant toi.*

Toi, c'est une fleur : un dahlia. Ce matin-là, en passant devant une clôture, mon ami vit très profondément cette petite fleur. Frappé par cette vue, il s'arrêta et écrivit un poème.

J'aime beaucoup ce poème. Vous pouvez penser que ce poète est un mystique – parce que sa façon de voir et de considérer les choses est très profonde. Mais il n'était qu'une personne ordinaire comme n'importe lequel d'entre nous. Je ne sais pourquoi ni comment il était capable de voir les choses de cette façon-là. Mais c'est exactement la façon dont on pratique la méditation. On essaie d'être au contact de la vie et d'avoir un regard très profond tandis que nous buvons notre thé, marchons, sommes assis ou arrangeons des fleurs dans un vase. Le secret, c'est d'être vraiment soi-même. Quand vous êtes vraiment vous-même, vous pouvez vivre la vie au moment présent.

Une pièce pour respirer

Nous avons une pièce pour chaque chose – pour manger, pour dormir, pour regarder la télévision – mais nous n'avons pas de pièce pour la pleine conscience. Je recommande d'installer une petite pièce dans nos maisons que nous appellerons la « pièce pour respirer », où nous pourrons être seuls et pratiquer respiration et sourire, tout au moins dans les moments difficiles. Cette petite pièce devrait être considérée comme une ambassade du Royaume de la Paix. Elle devrait être respectée, inviolée par la colère, les cris ou ce genre de choses. Quand un enfant sera sur le point de se faire gronder, il pourra se réfugier dans cette pièce. Ni son père ni sa mère n'y pourront plus le gronder. Il sera en sécurité dans le périmètre de cette ambassade. Les parents aussi auront parfois besoin d'y trouver refuge – pour s'asseoir, pour respirer, pour sourire et récupérer. Du coup, cette pièce pourra servir à toute la famille.

Je recommande de décorer très simplement la pièce pour respirer et de ne pas trop l'éclairer. On pourra y installer une petite cloche qui fasse un joli son, quelques coussins ou chaises et peut-être un vase avec des fleurs pour nous rappeler notre vraie nature. Vous ou vos enfants pourrez faire les bouquets, en pleine conscience, tout sourire. Chaque fois que vous vous sentirez un peu découragé, vous saurez que la meilleure chose à faire, c'est d'aller vers cette pièce, d'en ouvrir doucement la porte, de vous y asseoir, d'inviter la cloche à tinter (dans mon pays, on ne dit pas « sonner la cloche ») et de commencer à respirer. La cloche n'aidera pas seulement ceux qui sont dans la pièce pour respirer, mais toute la maisonnée.

Imaginez que votre mari est en colère. Comme il a appris à respirer, il sait que le mieux qui lui reste à faire est d'aller dans cette pièce, de s'asseoir et de pratiquer. Vous ne vous apercevrez peut-être pas qu'il y est allé ; vous étiez occupée à couper des carottes à la cuisine. Mais vous souffrez aussi, parce que vous venez justement d'avoir une altercation. Vous coupez les carottes un peu brutalement parce que l'énergie de la colère est prise dans ce mouvement. Soudain, vous entendez la cloche – et vous savez quoi faire. Vous arrêtez de couper et vous commencez à respirer. Vous vous sentez mieux, vous commencez peut-être même à sourire en pensant à votre mari qui sait quoi faire quand il est fâché. Il est assis dans la pièce pour respirer, il respire et il sourit : c'est merveilleux, peu de gens font ça. Soudain, un sentiment de tendresse s'élève et vous vous sentez beaucoup mieux. Après trois respirations, vous recommencez à couper les carottes, mais cette fois d'une tout autre manière.

Votre enfant, qui a été témoin de la scène, a senti qu'une tempête était sur le point d'éclater. Elle s'est retirée dans sa chambre, a fermé la porte et a attendu en silence. Mais au lieu d'une tempête, elle a entendu la cloche et elle a compris ce qui était en train de se passer. Elle a été tellement soulagée qu'elle a voulu montrer sa gratitude à son père. Elle est allée lentement dans la pièce pour respirer, a ouvert la porte, est entrée tranquillement et s'est assise à côté de son père pour lui exprimer son soutien. Lui, cela l'aide beaucoup. Il se sent déjà prêt à ressortir – il est capable de sourire maintenant – mais comme sa fille est assise là, il veut faire tinter la cloche de nouveau pour que sa fille puisse respirer.

Dans la cuisine, vous entendez la cloche pour la deuxième fois. Vous réalisez qu'il y a peut-être mieux à faire que de couper des carottes. Vous posez votre couteau et vous allez dans la pièce pour respirer. Votre mari a conscience que la porte s'ouvre et que vous entrez. Alors, bien qu'il soit maintenant tout à fait bien, puisque vous entrez, il reste encore quelque temps et fait tinter la cloche pour que vous puissiez respirer. C'est une scène très belle. Si vous êtes très riche, vous pouvez acheter de magnifiques Van Gogh et les accrocher dans votre salon. Mais ce sera moins beau que cette scène dans la pièce pour respirer. La pratique de la paix et de la réconciliation est l'une des actions humaines les plus belles et les plus artistiques.

Je connais des familles où les enfants vont dans la pièce pour respirer après le petit déjeuner. Ils s'y assoient, ils respirent (« dedans-dehors : une fois », « dedans-dehors : deux fois » « dedans-dehors : trois fois ») et ainsi de suite jusqu'à dix, puis ils vont à l'école. Si votre enfant n'a pas envie de respirer dix fois, peut-être que trois fois suffisent. Commencer la journée de cette façon est très beau et très utile à toute la famille. Si vous êtes pleinement conscient dès le matin et essayez de nourrir la pleine conscience tout au long de la journée, vous serez peut-être capable de rentrer chez vous le soir avec le sourire, ce qui prouvera que la pleine conscience est toujours là.

Je crois que toute maisonnée devrait avoir une pièce pour respirer. De simples pratiques comme la respiration consciente et le sourire sont très importantes. Elles peuvent changer notre civilisation.

Continuer le voyage

Nous avons avancé ensemble en pleine conscience. Nous avons appris à respirer et à sourire consciemment, à la maison, au travail et tout au long de la journée. Nous avons évoqué les repas en pleine conscience, l'acte de laver la vaisselle, la conduite, le téléphone – même la façon de couper l'herbe avec une faux ! La pleine conscience est la fondation d'une vie heureuse.

Mais comment gérer les émotions difficiles ? Que devrions-nous faire quand nous ressentons de la colère, de la haine, du remords, de la tristesse ? Ces quarante dernières années, j'ai appris un certain nombre d'exercices qui permettent de traiter ces états psychologiques. Alors : on continue le voyage et on essaie quelques exercices ?

DEUXIÈME PARTIE

Transformation et guérison

La rivière des sentiments

Nos sentiments jouent un grand rôle : ils dirigent nos pensées et nos actes. En nous coule une rivière de sentiments. Chaque goutte d'eau est un sentiment, relié en même temps à tous les autres. Pour les observer, asseyons-nous au bord de la rivière et identifions chaque sentiment qui fait surface, flotte un instant puis disparaît.

Il y a trois sortes de sentiments : agréables, désagréables et neutres. Lorsque l'on éprouve un sentiment désagréable, on a parfois envie de le chasser. Mais il est plus intéressant, tout en revenant à notre respiration consciente, de l'observer et de l'identifier : « J'inspire, j'ai conscience d'un sentiment désagréable en moi. J'expire, il y a un sentiment désagréable en moi. » Appeler un sentiment par son nom – « colère », « tristesse », « joie », « bonheur » – aide à l'identifier clairement et à le reconnaître plus profondément.

On peut utiliser la respiration pour entrer en contact avec nos sentiments et les accepter. Si notre respiration est légère et calme – le résultat naturel de la respiration consciente –, notre corps et notre esprit s'allégeront peu à peu... et nos sentiments aussi. L'observation consciente est basée sur le principe de la « non-dualité » : notre sentiment n'est pas séparé de nous ou simplement causé par quelque chose à l'extérieur de nous ; notre sentiment *est* nous, et à ce moment-là nous *sommes* ce sentiment. Nous ne sommes ni noyés dans ce sentiment, ni terrorisés par lui – et nous ne le rejetons pas non plus. Ne pas s'accrocher à ce sentiment, sans non plus le rejeter, s'appelle le lâcher-prise. C'est un élément primordial de la pratique méditative.

Si nous faisons face à nos sentiments désagréables avec sollicitude, sans violence, nous pouvons les transformer en une saine énergie qui a la capacité de nous nourrir. Par le moyen de l'observation consciente, nos sentiments désagréables peuvent nous éclairer grandement, nous offrant une vision et une compréhension incomparables de nous-mêmes et de la société.

Ne pas recourir à la chirurgie

La médecine occidentale recourt trop à la chirurgie. Les docteurs aiment ôter l'indésirable du corps du malade. Quand il y a quelque chose qui ne va pas dans le corps, ils nous conseillent trop souvent de nous faire opérer. Même chose en psychothérapie : les thérapeutes nous conseillent de nous débarrasser de l'indésirable, pour ne garder que le désirable. Mais ce qui reste, parfois, c'est très peu. Si l'on commence à jeter tout ce dont on ne veut plus, on risque de jeter à la poubelle la plus grande part de nous-mêmes.

Au lieu d'agir comme si on pouvait disposer à notre guise des éléments qui nous constituent, nous devrions apprendre l'art de la transformation. Nous pouvons transformer notre colère en quelque chose de plus complet, comme la compréhension par exemple. Nous n'avons pas besoin de chirurgie pour nous débarrasser de notre colère. Si l'on se met en colère contre sa colère, nous aurons alors deux colères à subir. Il vaut mieux observer avec amour et attention. Si l'on prend soin de notre colère de cette façon, sans essayer de lui échapper, elle va se transformer. C'est ainsi que l'on fait la paix. Si nous sommes paisibles au fond de nous-mêmes, nous pouvons faire la paix avec notre colère. Nous pouvons affronter le découragement, l'angoisse, la peur ou tout autre sentiment désagréable.

Transformer les sentiments

La première étape de la transformation des sentiments consiste à les identifier au fur et à mesure qu'ils apparaissent. C'est la vigilance qui permet cela. Dans le cas de la peur, par exemple, votre vigilance va regarder la peur, la reconnaître comme telle. Vous savez que la peur vient de vous, tout comme la vigilance vient également de vous. L'une et l'autre sont en vous – mais l'une prend soin de l'autre.

La deuxième étape, c'est de ne faire qu'un avec le sentiment. Mieux vaut ne pas dire : « Va-t'en, la peur ! Je ne t'aime pas. Tu n'es pas moi. » Il est beaucoup plus efficace de dire : « Salut, la peur ! Comment ça va aujourd'hui ? » Vous pouvez alors inviter les deux aspects de vous-mêmes, la vigilance et la peur, à se serrer la main et à s'unifier. Faire cela peut être effrayant. Mais comme vous savez que vous êtes davantage que seulement votre peur, vous n'avez pas à être effrayé. Tant que la vigilance sera là, elle va chaperonner votre peur. La pratique fondamentale consiste à nourrir votre vigilance en respirant consciemment, afin de la garder là, vivante et forte. Même si la vigilance n'est pas très solide au début, si vous la nourrissez, elle va se renforcer. Tant que la vigilance est présente, vous ne vous noierez pas dans votre peur. En réalité, vous commencerez à la transformer dès l'instant où vous ferez émerger la vigilance en vous.

La troisième étape consiste à calmer le sentiment. La vigilance prend soin de votre peur – et vous commencez à vous calmer. « J'inspire, je calme l'activité de mon corps et de mon esprit. » Vous calmez votre sentiment rien qu'en étant avec lui, comme une mère tiendrait tendrement son bébé qui pleure. Au contact de la tendresse de sa mère, le bébé se calme et cesse de pleurer. La mère, c'est votre vigilance, née dans le tréfonds de votre conscience – et elle va prendre soin de la douleur. Une mère qui tient son bébé ne fait qu'un avec son bébé. Si la maman pense à autre chose, le bébé ne se calmera pas. La mère doit mettre de côté tout le reste et simplement tenir son bébé. Alors n'évitez pas vos sentiments. Ne dites pas : « Tu n'es pas important, tu n'es qu'un sentiment. » Venez et ne faites qu'un avec lui. Vous pouvez dire : « J'expire, je calme ma peur. »

La quatrième étape consiste à lâcher son sentiment, à le laisser partir. Grâce à votre calme, vous vous sentez bien, même au milieu de la peur et vous savez que votre peur ne va pas se mettre à grandir et vous submerger. Quand vous réalisez que vous êtes capable de prendre soin de votre peur, celle-ci est déjà réduite au minimum, devenant plus douce et un peu moins désagréable. Maintenant, vous pouvez sourire et la laisser partir – mais s'il vous plaît, ne la faites pas encore complètement disparaître. Apaisement et lâcherprise ne font que traiter les symptômes. Vous avez maintenant l'opportunité d'aller plus loin et de travailler à transformer la source de votre peur.

La cinquième étape consiste en l'approfondissement. Vous regardez pleinement votre bébé – votre sentiment de peur – pour voir ce qui ne va pas. Faites-le, même une fois que le bébé a cessé de pleurer, une fois que la peur est partie. Vous ne pourrez pas tenir votre bébé tout le temps : vous devez donc bien le regarder pour savoir ce qui ne va pas. En regardant, vous découvrirez comment transformer le sentiment. Vous réaliserez par exemple que la souffrance de la peur a bien des causes, en vous et hors de vous. C'est la même chose avec l'enfant. Si quelque chose ne va pas dans son environnement, vous y remédiez avec sollicitude pour qu'il se sente mieux. En regardant bien votre bébé, vous distinguez les éléments qui le font pleurer : ainsi, vous savez quoi faire et ne pas faire. Et de même avec vos sentiments : vous pouvez les transformer et vous en affranchir.

C'est un processus similaire à la psychothérapie. Au côté de son patient, un thérapeute cherche la nature de la souffrance. Souvent, le thérapeute peut révéler les causes d'une souffrance. Celle-ci provient de la façon dont le patient regarde les choses, des croyances qu'il a sur lui-même, sur sa culture et sur le monde en général. Le thérapeute examine ces points de vue et ces croyances avec le patient. Ce travail commun aboutit alors à libérer le patient de la prison dans laquelle il est enfermé. Mais les efforts du patient sont cruciaux. Un professeur doit faire naître un professeur dans son élève – et un psychothérapeute doit savoir éveiller le psychothérapeute qui sommeille chez son patient.

Le thérapeute ne traite pas le patient en lui offrant simplement un ensemble de nouvelles croyances. Il essaie de l'aider à voir quelles idées et croyances l'ont amené à souffrir ainsi. Beaucoup de patients veulent se débarrasser de leurs émotions douloureuses, mais ils ne veulent pas abandonner leurs croyances et points de vue qui sont les racines mêmes de leurs souffrances. Thérapeute et patient doivent alors travailler ensemble pour que le patient voie les choses telles qu'elles sont. C'est la même chose quand on utilise la vigilance pour transformer nos sentiments. Après avoir identifié le sentiment, nous être unis à lui, l'avoir calmé et l'avoir lâché, on peut regarder plus profondément les causes, qui sont souvent basées sur des perceptions erronées. Dès que nous comprenons les causes et la nature de nos sentiments, ceux-ci commencent à se transformer d'eux-mêmes.

Avoir pleinement conscience de sa colère

La colère est un sentiment désagréable. C'est comme une flamme en furie qui consume notre self-control et nous amène à dire et à faire des choses qu'on regrettera par la suite. Quand quelqu'un est en colère, on voit très clairement qu'il ou elle séjourne en enfer. La colère et la haine sont les matériaux dont l'enfer est fait. Un esprit sans colère est doux, frais et sain. L'absence de peur est la base du vrai bonheur, la base de l'amour et de la compassion.

Quand notre colère est placée sous la lampe de la vigilance, elle commence tout de suite à perdre une part de sa nature destructrice. Nous pouvons nous dire ceci : « J'inspire, je sais que la colère est en moi. J'expire, je sais que je suis ma colère. » Si l'on est très attentif à sa respiration tout en identifiant et en observant avec vigilance sa colère, cette dernière ne peut plus monopoliser tout entière notre conscience.

La vigilance peut tenir compagnie à notre colère. La conscience de notre colère ne supprime pas cette dernière, ni ne la fait dériver. Simplement, elle s'en occupe. Ceci est un principe très important. La vigilance n'est pas un juge. Elle ressemblerait plutôt à une grande sœur qui veille sur sa petite sœur et la réconforte d'une façon attentive et affectueuse. Nous pouvons nous concentrer sur notre respiration de façon à maintenir cette vigilance et nous connaître complètement.

Quand nous sommes en colère, nous n'avons pas très envie de revenir à nous-mêmes. Nous avons envie de penser à la personne qui nous met en colère, à ses côtés haïssables – sa grossièreté, sa malhonnêteté, sa cruauté, sa fourberie et ainsi de suite. Plus on pense à elle, plus on l'écoute et on la voit, plus notre colère s'enflamme. Cette malhonnêteté et ces côtés haïssables sont peut-être réels, imaginaires ou exagérés, peu importe : la racine du problème est la colère elle-même. Il nous faut alors revenir en arrière et regarder d'abord en nous. Le mieux est de ne pas écouter et de ne pas voir la personne que l'on considère comme la source de notre colère. Comme un pompier, nous devons d'abord verser de l'eau sur l'incendie et ne pas perdre de temps à rechercher l'incendiaire. « J'inspire, je sais que je suis en colère. J'expire, je sais que je dois mettre toute mon énergie à prendre soin de ma colère. » On évite ainsi de penser à l'autre – et on s'abstient de faire ou de dire quoi que ce soit tant que la colère persiste. Si l'on emploie toute notre énergie à observer la colère, nous éviterons de causer des dégâts que l'on pourrait regretter plus tard.

Quand nous sommes en colère, notre colère est notre vrai moi. Inutile de chercher à supprimer ou à chasser notre colère, sous peine de nous supprimer ou de nous chasser nous-mêmes ! Quand nous sommes joyeux, nous sommes la joie. Quand nous sommes en colère, nous sommes la colère. Lorsque celle-ci naît en nous, nous pouvons prendre conscience qu'elle est une énergie – et il nous faut l'accepter pour pouvoir la transformer en une énergie autre. Voici un exemple : quand notre compost est plein de matériaux organiques puants en décomposition, nous savons que nous pouvons transformer les déchets en de magnifiques fleurs. Au départ, on pourrait considérer que le compost et les fleurs sont absolument opposés. Mais quand on regarde plus profondément, nous voyons que les fleurs existent déjà dans le compost – et que le compost est déjà dans les fleurs. Une fleur ne met que deux semaines à se décomposer. Quand un bon jardinier regarde son compost, il sait cela : le compost ne le dégoûte plus, ne l'attriste pas. Au contraire, il connaît la valeur de la matière en décomposition et n'a rien à objecter. Un compost donne naissance à des fleurs en quelques mois. Vis-à-vis de notre colère, il nous faut être tout aussi perspicace que le jardinier qui n'a pas une vision duale des choses. Notre colère, nous ne devons ni en avoir peur, ni la rejeter. Nous savons que la colère peut être une sorte de compost – et qu'il est en son pouvoir de donner naissance à quelque chose de beau. Nous avons besoin de la colère comme le jardinier a besoin du compost. Si nous savons comment accepter notre colère, nous sommes déjà un peu joyeux, en paix. Peu à peu, nous pouvons transformer complètement la colère en paix, en amour et en compréhension.

Boxer son polochon

Exprimer sa colère n'est pas forcément le meilleur moyen de la vivre. Quand on exprime notre colère, on a tendance à la pratiquer et à l'entraîner – donc à la renforcer dans les profondeurs de la conscience. Et exprimer sa colère face à la personne qui nous a mis en colère peut causer beaucoup de dégâts.

Certains d'entre nous préfèrent s'enfermer dans leur chambre et boxer leur polochon – ou leur oreiller. Nous appelons cela « entrer en contact avec notre colère ». Mais je crois que cela ne nous met absolument pas en contact avec notre colère. Cela ne nous met même pas en contact avec le polochon ! Si nous sommes vraiment en contact avec le polochon, nous savons ce qu'est un polochon et nous ne le boxerons pas. Pourtant, cette technique peut fonctionner temporairement parce que lorsqu'on boxe le polochon, on dépense beaucoup d'énergie : épuisé, on se sent mieux. Mais les racines de notre colère sont toujours intactes – et si nous sortons et mangeons quelque chose de nourrissant, notre énergie revient. Si les germes de la colère sont de nouveau arrosés, notre colère va renaître et il nous faudra à nouveau boxer le polochon.

Boxer le polochon peut apporter un certain soulagement, mais ça ne dure pas très longtemps. Afin d'obtenir une vraie transformation, il nous faut traiter avec les racines de notre colère – examiner profondément leurs causes. Si on ne le fait pas, les graines de la colère vont encore grandir. Si l'on pratique la vie en pleine conscience, on plantera de nouvelles graines, saines et salubres. Elles prendront soin de notre colère et elles pourront la transformer sans même qu'on leur demande de le faire.

Notre vigilance se chargera de tout, comme le soleil prend soin de la végétation. Le soleil n'a pas l'air de faire grand-chose, il ne fait que briller sur la végétation, mais il transforme tout. Les coquelicots se referment dès qu'il fait nuit. Mais dès que le soleil revient sur eux pendant une heure ou deux, ils s'ouvrent. Le soleil pénètre dans les fleurs. À un moment donné, les fleurs ne peuvent plus résister : il faut qu'elles s'ouvrent. De la même façon, la pleine conscience, si elle est pratiquée avec régularité, transformera la fleur de notre colère – elle la fera s'ouvrir et nous révéler sa vraie nature. Quand nous comprendrons la nature, les racines de notre colère, nous en serons libérés.

La marche méditative, remède contre la colère

Quand la colère surgit, on peut avoir envie de sortir pour méditer en marchant. L'air frais, les arbres verts et les plantes nous aideront beaucoup. On peut pratiquer comme cela :

J'inspire, je sais que la colère est là.
J'expire, je sais que la colère est en moi.
J'inspire, je sais que la colère est désagréable.
J'expire, je sais que ce sentiment va passer.

J'inspire, je suis calme.
J'expire, je suis assez fort pour prendre soin de cette
[*colère.*

Pour diminuer le sentiment déplaisant né avec la colère, nous adonnons tout notre cœur et notre esprit à la pratique de la marche méditative : on ajuste le rythme de notre respiration à nos pas et on reste très attentif au contact entre la plante de nos pieds et la terre. Tout en marchant, récitons ce poème. Et attendons d'être assez calmes pour regarder la colère en face. Jusque-là, nous pouvons profiter de notre respiration, de notre marche et de la beauté de ce qui nous entoure. Après un moment, notre colère va tomber et nous nous sentirons plus forts. Nous pourrons alors commencer à observer directement la colère et à essayer de la comprendre.

Faire cuire des pommes de terre

Grâce à la lumière de la vigilance, après avoir pratiqué l'observation consciente pendant un temps, nous commençons à discerner les causes premières de notre colère. La méditation nous aide à regarder en profondeur dans les choses pour découvrir leur vraie nature. Si l'on scrute notre colère, on voit ses racines : l'incompréhension, la maladresse, l'injustice, le ressentiment ou le conditionnement. Ces racines peuvent être présentes en nous comme à l'intérieur de la personne qui a été le déclencheur premier de notre colère. On observe en pleine conscience pour voir et

78

comprendre. Voir et comprendre sont les éléments libérateurs qui généreront amour et compassion. La méthode de l'observation consciente pour voir et comprendre les racines de la colère est une méthode qui a des effets durables.

On ne peut pas manger des pommes de terre crues. Mais on ne les jette pas à la poubelle pour autant. On sait qu'on peut les cuisiner. On les met donc dans une casserole d'eau, on couvre et on les met sur le feu. Le feu est la pleine conscience – la pratique de la respiration consciente et du focus dirigé sur notre colère. Le couvercle symbolise notre concentration parce qu'il empêche la chaleur de s'échapper du pot. Lorsque l'on pratique l'inspiration puis l'expiration tout en observant notre colère, nous avons besoin d'un peu de concentration pour renforcer notre pratique. Du coup, on se détourne de toutes les distractions et on se concentre sur le problème. Si l'on va dans la nature, parmi les arbres et les fleurs, la concentration sera plus facile.

Une fois qu'on a mis la casserole sur le feu, un changement se produit. L'eau commence à se réchauffer. Dix minutes plus tard, elle bout – mais il nous faut la laisser encore un peu sur le feu afin de cuire nos pommes de terre. En pratiquant la conscience de notre respiration et de notre colère, une transformation est déjà en train de se produire. Après un quart d'heure, on soulève le couvercle : ça sent bon ! Nous savons maintenant que nous pouvons manger nos pommes de terre. La colère s'est transformée en une énergie autre, ayant pour noms compréhension et compassion.

Les racines de la colère

La colère est enracinée dans notre incompréhension de nous-mêmes et dans les causes profondes et immédiates qui ont provoqué cet état déplaisant. La colère s'enracine aussi dans le désir, la vanité, l'agitation et la suspicion. Les racines premières de la colère sont en nous. Notre environnement, les autres, ne viennent qu'après. Nous acceptons sans trop de mal les dégâts immenses causés par une catastrophe naturelle comme un tremblement de terre ou une inondation. Mais quand le dégât est causé par quelqu'un d'autre, on n'a pas beaucoup de patience. Nous savons que tremblements de terre et inondations ont des causes – nous devrions donc aussi voir que la personne qui a déclenché notre colère a ses raisons, profondes et immédiates.

Par exemple, quelqu'un qui nous parle mal a peut-être été traité de la même façon la veille à peine – ou par son père alcoolique quand il était enfant. Quand l'on voit et que l'on comprend ce genre de causes, on peut commencer à se libérer de notre colère. Je ne dis pas que quelqu'un qui nous attaque sournoisement n'ait pas à être corrigé. Mais le plus important, c'est que nous nous occupions d'abord des graines de négativité en nous-mêmes. Ensuite seulement, si quelqu'un a besoin d'être aidé ou discipliné, nous pourrons nous en charger par compassion (et non sous le coup de la colère ou par esprit de vengeance). Si l'on essaie de comprendre vraiment la souffrance de l'autre, nous avons plus de chance d'agir d'une façon qui l'aidera à dépasser ses souffrances et son trouble ; ceci, au fond, nous aidera tous.

Les formations internes

Il existe un terme en psychologie bouddhiste qui peut être traduit par « formations internes », « entraves » ou « nœuds ». Une stimulation sensorielle est susceptible de former un nœud en nous. Quand quelqu'un nous parle mal, si l'on en comprend la raison et que l'on ne prend pas ses mots à cœur, nous ne nous sentons pas du tout irrités et aucun nœud ne se forme. Mais si nous ne comprenons pas pourquoi l'on nous a parlé ainsi et en concevons de l'irritation, un nœud va se former en nous. L'absence de compréhension claire est à la base de chaque nœud.

Si nous pratiquons la pleine conscience, nous serons capables de reconnaître ces formations internes sitôt qu'elles se forment – et nous trouverons le moyen de les transformer. Par exemple, une femme peut entendre son mari fanfaronner lors d'une fête : en elle-même, elle ressent un manque de respect. Si elle en parle ensuite avec son mari, ils pourront arriver à une claire compréhension des choses – et le nœud sera facilement défait. Les formations internes requièrent notre pleine attention dès qu'elles surgissent, quand elles sont encore fragiles, de sorte que le travail de transformation soit aisé.

Si l'on ne défait pas les nœuds en nous quand ils se forment, ils vont grandir. Ils seront de plus en plus serrés et difficiles à défaire. Notre esprit conscient et raisonneur sait que des sentiments négatifs comme la colère, la peur et le regret ne sont pas complètement acceptables à nos yeux ou à ceux de la société. Il trouve donc des moyens de les réprimer, de les reléguer dans des zones éloignées de la conscience de façon à les oublier. Comme nous voulons éviter de souffrir, nous créons des mécanismes de défense qui nient l'existence de ces sentiments négatifs et nous donnent l'impression que nous sommes en paix avec nous-mêmes. Mais nos formations internes cherchent constamment à se manifester sous une forme destructrice : images, sentiments, pensées, paroles et comportements.

Pour pouvoir s'occuper de ces formations internes, il faut d'abord remarquer leur existence. En pratiquant la respiration en pleine conscience, nous pouvons retrouver l'accès à certains de ces nœuds en nous. Quand nous sommes conscients des images, des comportements, des pensées, des paroles et des comportements en nous, nous pouvons nous poser des questions comme : « Pourquoi ne me suis-je pas senti bien quand je l'ai entendu dire ça ? Pourquoi lui ai-je dit ça ? Pourquoi est-ce que je pense toujours à ma mère quand je vois cette femme ? Pourquoi n'ai-je pas aimé ce personnage dans ce film ? Qui ai-je haï dans le passé – et à qui il ressemblait ? » Une telle observation méticuleuse peut faire peu à peu remonter à la conscience les formations internes enfouies en nous.

Pendant la méditation assise, une fois que nous avons fermé les portes et les fenêtres sensorielles, les formations internes enfouies en nous se révèlent parfois sous formes d'images, de sensations ou de pensées. Nous pouvons remarquer un sentiment d'angoisse, de peur ou un désagrément dont nous ne pouvons cerner la cause. Nous allumons alors la lampe de vigilance et nous préparons à voir cette image, ce sentiment ou cette pensée dans toute sa complexité. Quand ça commence à apparaître, ça peut devenir plus fort et plus intense. On peut trouver ça si fort que cela nous dérobe paix, joie et bien-être. Nous n'avons alors peut-être plus envie d'entrer en contact avec ça. Nous avons peut-être envie de méditer sur autre chose ou d'arrêter carrément de méditer ; nous pouvons avoir envie de dormir ou de méditer à un autre moment. En psychologie, on appelle ça la résistance. Nous avons peur de faire émerger à notre conscience les sentiments de douleur enfouis en nous parce que ceux-ci vont nous faire souffrir. Mais si nous pratiquons la respiration et le sourire depuis quelque temps, nous avons développé cette capacité à rester assis tranquille et à simplement observer nos peurs. Tout en restant connecté à notre respiration et en continuant à sourire, nous pouvons dire alors : « Salut, la peur ! Te voilà encore. »

Il y a des gens qui pratiquent la méditation assise plusieurs heures par jour et qui ne font jamais vraiment face à leurs sentiments. Certains d'entre eux disent que les sentiments ne sont pas importants – et préfèrent porter leur attention sur des sujets métaphysiques. Je ne dis pas que ces autres sujets n'ont pas d'importance. Mais s'ils sont considérés sans relation avec nos problèmes réels, notre méditation n'aura pas vraiment de valeur ni d'utilité.

Si nous savons comment vivre chaque moment de manière éveillée, nous deviendrons conscients de ce qui se passe dans nos sentiments et perceptions au moment présent et nous ne laisserons pas des nœuds se former et se resserrer dans notre conscience. Et si nous savons comment observer nos sentiments, nous pourrons trouver les racines de ces formations internes anciennes et les transformer, même celles qui sont particulièrement ancrées.

Vivre ensemble

En couple, pour protéger le bonheur de l'un comme de l'autre, nous devrions nous aider réciproquement à transformer les formations internes que nous produisons ensemble. En pratiquant la parole aimante et compréhensive, nous pouvons nous aider beaucoup. Le bonheur n'est plus une affaire individuelle. Si l'autre n'est pas heureux, nous ne le sommes pas non plus. Transformer les nœuds de l'autre fait aussi notre bonheur. Une femme peut être cause de formations internes chez son mari, et vice versa. S'ils continuent l'un l'autre à se créer des nœuds, un jour le bonheur va disparaître. Ainsi, dès qu'un nœud est créé, la femme, par exemple, doit se rendre compte qu'un nœud vient tout juste de se former en elle. Elle ne doit pas négliger cela. Elle doit prendre le temps de l'observer et, avec l'aide de son mari, de transformer ce nœud. Elle peut dire : « Chéri, je crois que nous devrions parler de ce conflit que je sens grandir en moi. » C'est facile quand l'état d'esprit du mari, comme celui de la femme, est encore léger et non encombré de trop de nœuds.

La source de toute formation interne est le manque de compréhension. Si l'on peut voir les incompréhensions à l'œuvre au moment de la formation d'un nœud, on peut facilement dénouer celui-ci. Pratiquer l'observation consciente, c'est regarder profondément pour être capable de voir la nature et les causes de quelque chose. L'un des bénéfices importants de ce type de discernement, c'est la capacité à dénouer les nœuds.

Les choses telles qu'elles sont

En bouddhisme, le mot « ainsité » est utilisé pour dire « l'essence ou les caractéristiques particulières d'une chose ou d'une personne, sa vraie nature ». Chaque personne est comme ceci ou comme cela. Si l'on veut vivre heureux et en paix avec une personne, nous devons la voir telle qu'elle est. Ainsi, nous la comprenons profondément, et tout ira bien. Nous pouvons vivre heureux et paisiblement ensemble.

Quand on achemine du gaz naturel dans nos maisons pour le chauffage et la cuisine, on connaît ses propriétés – son ainsité. Nous savons que le gaz est dangereux – il peut nous tuer si on ne fait pas attention. Mais nous savons aussi que nous avons besoin du gaz pour cuisiner. Nous n'hésitons donc pas à l'accueillir dans nos maisons. C'est la même chose pour l'électricité : nous savons ce qu'elle est, que l'on peut se faire électrocuter, mais aussi qu'elle est utile. Une personne, c'est la même chose. Si l'on n'en sait pas assez sur elle – et sur son ainsité – nous pouvons nous attirer des ennuis. Mais si l'on sait, alors on peut beaucoup profiter l'un de l'autre. La clé, c'est de connaître l'autre tel qu'il est. On ne s'attend pas à ce qu'une personne soit une fleur tout le temps. Nous devons aussi comprendre les déchets qui sont en cette personne.

Regarde dans ta main

J'ai un ami artiste. Au moment où il allait quitter le Vietnam, il y a quarante ans de cela, sa mère lui prit la main et lui dit : « Chaque fois que je te manquerai, regarde dans ta main, et tu me verras immédiatement ! » Comme ces mots simples et sincères sont pénétrants !

Depuis lors, mon ami a souvent regardé dans sa main. Sa mère n'est pas qu'une présence génétique pour lui. Il porte également en lui son esprit, ses espoirs et sa vie. Quand il regarde dans sa main, il peut voir des milliers de générations avant lui et des milliers de générations après lui. Il peut voir qu'il n'existe pas seulement dans l'arbre de l'évolution branché sur l'axe du temps, mais aussi au sein d'un réseau de relations interdépendantes. Il m'a dit qu'il ne se sent jamais seul.

Quand ma nièce est venue me rendre visite l'été dernier, je lui ai proposé comme sujet de méditation : « Regarde dans ta main. » Je lui ai dit que chaque caillou, chaque feuille et chaque papillon était présent dans sa main.

Les parents

Quand je pense à ma mère, je ne peux dissocier son image de ma conception de l'amour. Car l'amour était l'ingrédient naturel de sa douce voix. Le jour où j'ai perdu ma mère, j'ai écrit dans mon journal : « La plus grande tragédie de ma vie vient de s'accomplir. » Bien qu'adulte et vivant loin de ma mère, sa mort m'a fait me sentir abandonné comme un petit orphelin.

Je sais que beaucoup de mes amis en Occident ne ressentent pas la même chose vis-à-vis de leurs parents. J'ai entendu beaucoup d'histoires de parents ayant fait du mal à leurs enfants, plantant en eux bien des ferments de souffrance. Mais je crois que ces parents n'ont pas fait exprès de planter ces ferments – ou ces graines. Ils ne voulaient pas faire souffrir leurs enfants. Peut-être que leurs propres parents avaient déposé en eux des graines similaires ? La transmission des graines se fait de génération en génération, sans interruption. Ce père et cette mère avaient peut-être hérité ces mêmes graines de leurs propres parents. La plupart d'entre nous sont victimes d'un mode de vie inconscient. En vivant en pleine conscience, en méditant, nous pouvons mettre un terme à ces chaînes de souffrance et faire cesser la transmission de ce type particulier de souffrance en direction de nos enfants et petits-enfants. Nous pouvons briser le cycle, en ne tolérant plus que ces graines leur soient transmises, pas plus qu'à nos amis ou à n'importe qui d'autre.

Un garçon de quatorze ans qui réside au Village des Pruniers m'a raconté cette histoire. À onze ans, il développa de la colère contre son père. Chaque fois qu'il chutait et se faisait mal, son père le réprimandait. Le garçon se promit que, quand il serait grand, il serait différent. Mais l'année dernière, sa petite sœur jouait avec d'autres enfants quand elle est tombée d'une balançoire et s'est éraflé le genou. Ça saignait. Le garçon s'est mis très en colère. Il voulut lui crier : « Espèce de bêtasse ! Pourquoi t'es-tu fait ça ? » Mais il se reprit. Comme il pratiquait la respiration et la pleine conscience, il reconnut sa colère et n'y céda pas.

Les adultes prirent soin de sa sœur, lavèrent sa plaie et lui firent un pansement. Lui s'éloigna lentement et commença à pratiquer la respiration par-dessus sa colère. Soudain, il réalisa qu'il était exactement comme son père. Il m'a dit : « J'ai compris que si je ne faisais pas quelque chose à propos de cette colère en moi, je la transmettrais à mes enfants. » En même temps, il vit autre chose. Il vit que son père avait peut-être été comme lui une victime. Les graines de la colère avaient peut-être été transmises à son père par ses grands-parents. C'était d'une remarquable perspicacité pour un garçon de quatorze ans qui, certes, pratique la pleine conscience. « Je me promis de continuer à pratiquer afin de transformer ma colère en quelque chose d'autre », me dit-il. Et après quelques mois, sa colère disparut. Il fut ensuite capable de transmettre le fruit de sa pratique à son père : il lui dit qu'il avait souvent été en colère contre lui, mais que maintenant il comprenait. Il dit qu'il souhaitait que son père pratique aussi, afin de transformer ses propres graines de colère. On pense en général que ce sont les parents qui nourrissent les enfants. Mais, parfois, ce sont les enfants qui éclairent leurs parents et les aident à se transformer.

Quand on regarde nos parents avec compassion, on voit souvent qu'ils ne sont que des victimes qui n'ont jamais eu la chance de pratiquer la pleine conscience. Ils n'ont pas pu transformer la souffrance en eux. Mais si on les voit avec les yeux de la compassion, on peut leur offrir la joie, la paix et le pardon. En fait, quand on regarde profondément, on découvre qu'il est impossible de réfuter toute similitude avec nos parents.

Quand nous prenons un bain ou une douche, si l'on regarde notre corps de près, nous voyons que c'est un cadeau qui nous vient de nos parents et de nos grands-parents. En lavant chaque partie de notre corps, nous pouvons méditer sur la nature du corps et sur la nature de la vie, en nous demandant : « À qui appartient ce corps ? Qui m'a donné ce corps ? Qu'est-ce qui m'a été donné à travers lui ? » Si l'on médite comme ça, nous découvrons qu'il y a trois composantes : le donneur, le cadeau et celui qui a reçu le cadeau. Le donneur, ce sont nos parents : nous sommes la continuation de nos parents et de nos ancêtres. Le cadeau, c'est notre corps lui-même. Celui qui reçoit le cadeau, c'est nous. En continuant à méditer sur cela, nous voyons clairement que le donneur, le cadeau et le receveur ne font qu'un. Tous trois sont présents dans notre corps. Quand nous sommes profondément en contact avec le moment présent, nous réalisons que tous nos ancêtres et toutes les futures générations sont présents en nous. En voyant cela, nous savons ce qu'il faut faire et ne pas faire – pour nous-mêmes, nos ancêtres, nos enfants et leurs enfants à venir.

Nourrir les graines saines

La conscience existe à deux niveaux : comme des graines, et comme manifestation de ces graines. Supposez que nous ayons une graine de colère en nous. Quand les conditions sont favorables, cette graine va se manifester en tant que zone d'énergie appelée colère. Ça brûle et ça nous fait beaucoup souffrir. C'est très difficile pour nous d'être joyeux au moment où la graine de colère se manifeste.

Chaque fois qu'une graine a l'occasion de se manifester, elle produit de nouvelles graines du même type. Si nous sommes en colère pendant cinq minutes, de nouvelles graines de colère sont fabriquées et déposées dans le terreau de notre inconscient durant ces cinq minutes. C'est pourquoi il faut faire attention à la vie que l'on mène et aux émotions que l'on exprime. Quand je souris, je fais germer les graines du sourire et de la joie, qui s'éveillent. Tant qu'elles se manifestent, de nouvelles graines de joie et de sourire sont plantées. Mais si je ne souris pas assez pendant un certain nombre d'années, la graine va faiblir : je risque de ne plus être jamais capable de sourire !

Il y a beaucoup de sortes de graines en nous, des bonnes et des mauvaises. Certaines ont été plantées au cours de notre vie, d'autres nous viennent de nos parents, de nos ancêtres ou de la société. Dans un petit grain de maïs, il y a la connaissance, transmise par les générations antérieures : comment germer, faire croître des feuilles, des fleurs et des épis. Et il en est de même pour nous. Nos ancêtres et nos parents nous ont donné des graines de joie, de paix et de bonheur, tout comme des graines de tristesse, de colère et ainsi de suite.

Chaque fois que nous nous exerçons à vivre en pleine conscience, nous plantons des graines saines et renforçons celles qui sont déjà en nous. Les graines saines fonctionnent comme des anticorps. Quand un virus pénètre dans notre sang, notre corps réagit : des anticorps apparaissent, l'entourent et le transforment. C'est vrai aussi de nos graines psychiques. Si nous plantons des graines salubres, capables de guérir et de régénérer, elles s'occuperont des graines négatives, sans même qu'on leur demande. Pour réussir, nous avons besoin de cultiver une bonne réserve de graines régénérantes.

Un jour, dans le village où je vis, on a perdu un ami très proche. C'était un Français qui nous avait énormément aidés à installer le Village des Pruniers. Il a eu une crise cardiaque et il est mort en une nuit. Au matin, nous apprîmes son décès. Il était si gracieux, il nous donnait tant de joie chaque fois que nous passions un moment avec lui. Pour nous, il incarnait la joie et la paix. Le matin où nous avons appris sa mort, nous avons grandement regretté de ne pas avoir passé plus de temps avec lui.

Cette nuit-là, je ne pus pas dormir. La perte d'un ami comme lui était si douloureuse. Mais je devais faire une conférence le lendemain matin et je voulais dormir. Je commençai donc à respirer. C'était une nuit froide d'hiver et j'étais allongé dans mon lit, visualisant les beaux arbres de la cour de mon ermitage. Des années auparavant, j'y avais planté trois beaux cèdres de l'Himalaya. Les arbres sont aujourd'hui très grands. Lors des marches méditatives, je m'arrêtais souvent pour les enlacer, inspirant et expirant. Les cèdres répondaient toujours à mon étreinte, j'en suis sûr. J'étais donc dans mon lit allongé, inspirant et expirant, devenant les cèdres et ma respiration. Je me sentais mieux, mais je ne pouvais toujours pas dormir. Finalement, j'invitai dans ma conscience l'image d'une délicieuse fillette vietnamienne appelée Petit Bambou. Elle était venue au Village des Pruniers quand elle n'avait que deux ans : elle était si mignonne que tout le monde voulait la tenir dans ses bras – surtout les enfants ! Ils ne laissaient jamais Petit Bambou tranquille par terre. Maintenant elle a six ans : quand vous la serrez dans vos bras, vous vous sentez revigoré, merveilleusement bien. Je l'invitai donc à venir dans ma conscience, tout en pratiquant la respiration et souriant à son image. Quelques instants plus tard, je m'endormis profondément.

Chacun d'entre nous a besoin d'une réserve de graines qui soient belles, saines et suffisamment fortes pour nous aider durant les moments difficiles. Parfois, le bloc de douleur en nous est si grand qu'il nous empêche d'entrer en contact avec la fleur qui se trouve juste devant nous. Nous comprenons alors qu'il nous faut de l'aide. Si nous avons un important entrepôt de graines saines, nous pouvons en inviter certaines à venir nous aider. Si vous avez un ami dont vous êtes très proche, qui vous comprend, qui vous rassérène quand vous vous asseyez près de lui sans même que vous ayez besoin de parler, alors vous pouvez inviter son image à venir à votre conscience : « tous deux », vous pourrez « respirer de concert ». Ne faire que cela peut être très utile dans les moments difficiles.

Mais si vous n'avez pas vu votre ami depuis longtemps, son image est peut-être trop faible dans votre conscience pour venir facilement à vous. Si vous pensez qu'il est la seule personne capable de vous aider à retrouver votre équilibre et si son image est déjà trop faible, il n'y a qu'une seule chose à faire : achetez un billet et allez voir cette personne, pour qu'elle ne soit plus simplement avec vous comme une graine, mais comme une vraie personne.

Si vous allez la voir, vous devez savoir comment employer au mieux votre temps, car il sera limité. Quand vous arrivez, asseyez-vous près de votre ami. Vous vous sentirez tout de suite plus fort. Comme vous savez que vous devrez bientôt rentrer chez vous, saisissez l'occasion de pratiquer la pleine conscience à chaque précieux moment où vous êtes là. Votre ami peut vous aider à retrouver votre équilibre intérieur, mais ce n'est pas assez. Vous-même devez devenir assez fort à l'intérieur afin d'être à nouveau bien quand vous serez seul. C'est pourquoi, assis à côté de la personne ou en marchant avec elle, vous devez pratiquer la pleine conscience. Si vous ne le faites pas, si vous ne faites qu'utiliser la présence de cette personne pour alléger vos souffrances, la graine de son image ne deviendra pas assez forte pour vous soutenir quand vous rentrerez chez vous. Nous devons pratiquer la pleine conscience tout le temps, afin de planter en nous des graines capables de régénérer et de guérir. Alors, quand nous en aurons besoin, ce sont elles qui prendront soin de nous.

Qu'est-ce qui va bien ?

On demande souvent : « Qu'est-ce qui ne va pas ? » Ce faisant, on invite les graines douloureuses de la tristesse à émerger et à se manifester. Nous ressentons de la souffrance, de la colère, de l'abattement et produisons encore plus de cette sorte de graines. Nous serions beaucoup plus heureux si nous essayions de rester en contact avec les graines de joie et de bonne santé en nous et autour de nous. Nous devrions apprendre à demander : « Qu'est-ce qui va bien ? » et à être en contact avec cela. Il y a tant d'éléments dans le monde et dans nos corps, nos sentiments, nos perceptions et notre conscience qui sont salubres, qui régénèrent et sont source de guérison. Si nous restons bloqués dans la prison de notre souffrance, nous ne serons pas en contact avec ces éléments.

La vie est pleine de bien des merveilles comme le ciel bleu, le soleil, les yeux d'un bébé. Notre respiration, par exemple, peut être un vrai bonheur. J'aime respirer tous les jours. Mais beaucoup de gens n'apprécient la respiration que lors d'une crise d'asthme ou quand leur nez est bouché ! Il est inutile d'attendre une crise d'asthme pour profiter de notre respiration. Avoir conscience des éléments précieux du bonheur, c'est pratiquer au plus juste la vigilance. De tels éléments sont en nous et autour de nous. À chaque seconde de notre vie, nous pouvons en profiter. Si on s'y attache, des graines de paix, de joie et de bonheur seront plantées en nous – et elles se renforceront. Le secret du bonheur, c'est le bonheur lui-même. Où que nous soyons, à chaque instant, nous avons la capacité de profiter du soleil qui brille, de la présence des uns des autres, de la merveille de notre respiration. Nul besoin de voyager pour cela. Nous pouvons être en contact avec ces éléments à l'instant même.

Accuser n'aide pas

Quand vous plantez une laitue, si elle grandit mal, vous n'accusez pas la laitue. Vous cherchez à comprendre pourquoi elle ne grandit pas. Elle a peut-être besoin de fertilisant, ou de plus d'eau, ou de moins de soleil. Vous n'accusez jamais la laitue. Pourtant, quand nous avons des problèmes avec nos amis ou notre famille, nous accusons les autres. Mais si nous savions comment nous occuper d'eux, ils grandiraient bien, comme la laitue. Accuser n'a absolument aucun effet positif – inutile non plus d'essayer de convaincre en utilisant raisonnements et arguments. C'est mon expérience. Pas d'accusation, pas de raisonnements, pas d'arguments, juste la compréhension. Si vous comprenez, et que vous montrez que vous comprenez, vous pouvez aimer : la situation va changer.

Un jour, à Paris, je donnais une conférence à propos de la nécessité de ne pas accuser la laitue. Après ma prise de parole, je fis une marche méditative tout seul. Soudain, au coin d'une rue, j'entendis une petite fille de huit ans dire à sa mère : « Maman, n'oublie pas de m'arroser. Je suis ta laitue. » J'étais si heureux que cette petite fille m'ait compris à ce point. J'entendis alors sa mère répondre. « Oui, ma fille, je suis aussi ta laitue. Alors n'oublie pas de m'arroser aussi. » Mère et fille pratiquant de concert, c'était très beau.

La compréhension

La compréhension et l'amour ne sont pas deux choses distinctes, mais une seule. Imaginez que votre fils se réveille et qu'il voie qu'il est déjà assez tard. Il décide de réveiller sa jeune sœur pour qu'elle ait assez de temps pour petit-déjeuner avant d'aller à l'école. Mais elle, de mauvaise humeur, au lieu de lui dire : « Merci de me réveiller », dit « Tais-toi ! Laisse-moi tranquille ! » et le repousse d'un coup. Il se mettra probablement en colère et pensera : « Je l'ai éveillée gentiment. Pourquoi m'a-t-elle frappé ? » Il aura peut-être envie d'aller à la cuisine et de vous en parler – ou même de la frapper en retour.

Puis il se rappellera que, pendant la nuit, sa sœur a beaucoup toussé. Il réalisera qu'elle est peut-être malade. Peut-être s'est-elle comportée aussi méchamment parce qu'elle a attrapé froid. À ce moment-là, il comprend et n'est plus fâché. Quand vous comprenez, vous ne pouvez vous empêcher d'aimer. Vous ne pouvez pas vous mettre en colère. Pour développer la compréhension, il vous faut regarder tous les êtres vivants avec les yeux de la compassion. Quand vous comprenez, vous ne pouvez vous empêcher d'aimer et quand vous aimez, vous agissez naturellement d'une façon qui peut alléger les souffrances des gens.

L'amour vrai

Il nous faut vraiment comprendre la personne qu'on veut aimer. Si notre amour n'est que volonté de posséder, ce n'est pas l'amour vrai. Si l'on ne pense qu'à nous-mêmes, si l'on ne connaît que nos propres besoins et ignorons les besoins de l'autre, on ne peut pas aimer. Nous devons regarder profondément pour voir et comprendre les besoins, les aspirations et les souffrances de la personne qu'on aime. Ce sont les fondations de l'amour vrai. Vous ne pouvez vous empêcher d'aimer l'autre quand vous le comprenez vraiment.

De temps en temps, asseyez-vous à côté de la personne que vous aimez, tenez sa main et demandez : « Chéri(e), est-ce que je te comprends assez ? Ou bien est-ce que je te fais souffrir ? S'il te plaît, dis-moi, afin que je puisse t'aimer comme il faut. Je ne veux pas te faire souffrir – et si je le fais à cause de mon ignorance, s'il te plaît dis-le-moi pour que je puisse t'aimer mieux, et que tu sois heureux(se). » Si vous dites cela d'une voix qui communique votre réelle volonté de comprendre, l'autre personne risque de pleurer. C'est un bon signe, parce que cela veut dire que la porte de la compréhension est en train de s'ouvrir et que tout sera possible à nouveau.

Peut-être qu'un père n'a pas le temps ou n'est pas assez courageux pour poser à son fils une telle question. Alors l'amour entre eux ne sera pas aussi plein qu'il pourrait l'être. Il nous faut du courage pour poser ces questions. Mais si nous ne demandons pas, plus l'on aime et plus l'on risque de détruire les personnes que nous essayons d'aimer. L'amour vrai a besoin de compréhension. Avec de la compréhension, celui ou celle que nous aimons a des chances de s'épanouir.

Méditation sur la compassion

L'amour est un état d'esprit qui apporte paix, joie et bonheur à un autre que nous. La compassion est un état d'esprit qui ôte la souffrance à un autre que nous. Nous avons tous les graines de l'amour et de la compassion en nous – et nous pouvons développer les merveilleuses sources d'énergie. Nous pouvons nourrir l'amour inconditionnel qui n'attend rien en retour et ne mène donc ni à l'angoisse ni à la tristesse.

L'essence de l'amour et de la compassion, c'est la compréhension : la capacité à reconnaître les souffrances physiques, matérielles et psychologiques des autres, la capacité à nous mettre « dans la peau » de l'autre. Nous nous mettons à sa place en corps et en esprit – et ressentons ses souffrances. L'observation superficielle de l'extérieur n'est pas suffisante pour voir la souffrance de l'autre. Nous devons ne faire qu'un avec l'objet de notre observation. Quand nous sommes en contact avec la souffrance de l'autre, un sentiment de compassion naît alors en nous. La compassion signifie littéralement « souffrir avec ».

On commence par choisir comme objet de méditation quelqu'un qui souffre physiquement ou matériellement, quelqu'un de faible et qui tombe facilement malade, quelqu'un de pauvre ou d'opprimé, sans protection. Ce genre de souffrance est facile à voir. Après, on pourra pratiquer le contact avec des formes de souffrance plus subtiles. Parfois, l'autre personne n'a pas l'air de souffrir du tout – mais on peut remarquer qu'elle a des chagrins qui ont laissé leur marque de manière subtile. Des gens qui ont tout le confort matériel souffrent aussi. Ensuite, on regarde profondément la personne qui est l'objet de notre méditation compassionnelle – à la fois pendant les phases de méditation assise et quand on est réellement en contact avec la personne. On doit se laisser suffisamment de temps pour être vraiment en contact profond avec les souffrances de l'autre. On continue à l'observer jusqu'à ce que la compassion s'élève et pénètre notre être.

Quand l'on observe ainsi très profondément, le fruit de notre méditation va naturellement se transformer en une forme d'action. On ne dira pas simplement : « Je l'aime beaucoup. » mais au contraire : « Je vais faire quelque chose pour qu'il (ou elle) souffre moins. » L'esprit de compassion est vraiment présent quand il arrive à alléger la souffrance de l'autre. Il nous faut trouver des moyens de nourrir et d'exprimer notre compassion. Quand on entre en contact avec l'autre, nos pensées et actions devraient exprimer notre esprit de compassion, même si la personne dit et fait des choses qui ne sont pas faciles à accepter. On pratique ainsi jusqu'à ce que l'on voie clairement que notre amour ne dépend pas du fait que l'autre soit aimable ou pas. Alors on sait que notre esprit de compassion est solide et authentique. Nous-mêmes nous sentirons plus à l'aise – et la personne qui a été l'objet de notre méditation en bénéficiera au final. Ses souffrances diminueront lentement et sa vie deviendra graduellement plus radieuse et plus joyeuse, en résultat de notre compassion active.

On peut aussi méditer sur la souffrance de ceux qui nous ont fait souffrir. Quiconque nous a fait souffrir souffre aussi, indubitablement. Il n'y a qu'à suivre notre respiration et à regarder en profondeur – alors tout naturellement, on voit aussi les souffrances de l'autre. Une partie des difficultés et des tristesses de cette personne vient peut-être de ses parents, qui ont manqué de doigté quand il était enfant. Mais ses parents eux-mêmes ont peut-être été victimes de leurs propres parents : la souffrance a été transmise de génération en génération et vit encore aujourd'hui en cette personne. Si on voit cela, on n'en veut plus à l'autre de nous faire souffrir – parce qu'on sait qu'il est lui aussi une victime. Regarder profondément, c'est comprendre. Une fois qu'on a compris les raisons pour lesquelles l'autre s'est mal comporté, notre amertume envers lui va disparaître – et l'on aspire alors à ce qu'il souffre moins. Nous nous sentirons calmes et légers – et nous pourrons sourire. Nous n'avons pas besoin que l'autre soit là pour nous réconcilier avec lui. Quand nous regardons profondément, nous nous réconcilions avec nous-mêmes. Pour nous, le problème n'existe plus. Tôt ou tard, l'autre verra notre attitude et partagera le pouvoir régénérateur du flot d'amour qui s'épanche de notre cœur.

Méditation sur l'amour

L'esprit d'amour amène paix, joie et bonheur à nous-mêmes et à autrui. L'observation attentive est l'élément qui nourrit l'arbre de la compréhension, dont la compassion et l'amour sont les plus belles fleurs. Pour réaliser l'esprit d'amour, nous devons aller vers la personne qui a fait l'objet de notre observation, de sorte qu'il ne reste pas seulement un fruit de notre imagination, mais devienne source d'énergie capable d'abreuver le monde.

Méditer sur l'amour, ce n'est pas seulement rester assis et visualiser notre amour déployé dans l'espace comme des ondes sonores ou lumineuses. Le son et la lumière peuvent pénétrer partout, l'amour et la compassion aussi. Mais si notre amour est purement imaginaire, il a peu de chances d'avoir un quelconque effet. C'est au milieu de notre vie quotidienne et au contact effectif des autres que nous pourrons savoir si notre esprit d'amour est réellement présent – et évaluer son degré de stabilité. L'amour réel est visible dans notre vie courante, dans notre comportement vis-à-vis d'autrui et du monde.

L'amour prend sa source profondément en nous – et nous pouvons aider autrui à être très heureux. Un mot, une action ou une pensée peuvent diminuer la souffrance de l'autre et lui apporter de la joie. Une parole peut apporter réconfort, confiance, détruire les doutes, éviter à quelqu'un de commettre une erreur, régler un conflit ou ouvrir les portes de la liberté. Une action peut sauver la vie de quelqu'un ou l'aider à saisir une opportunité unique. Et il en est de même d'une seule pensée, parce que les pensées conduisent toujours aux mots et à l'action. Si l'amour est dans nos cœurs, chaque pensée, chaque parole ou chaque acte peut donner naissance à un miracle. Puisque la compréhension est à la base même de l'amour, les paroles et les actions qui en procèdent sont toujours d'une grande aide.

Méditer en se serrant dans les bras

S'étreindre (se serrer dans les bras) est une belle coutume occidentale. Nous, Orientaux, voudrions enrichir cette pratique avec la respiration consciente. Quand vous tenez un enfant dans vos bras, ou quand vous étreignez votre mère (ou votre mari, ou un ami), si vous inspirez puis expirez trois fois, votre bonheur en sera au moins multiplié par dix.

Si vous êtes distrait et pensez à autre chose, votre étreinte sera distraite, peu profonde et vous ne l'apprécierez peut-être pas tant que ça. Donc, quand vous étreignez votre enfant, votre ami, votre époux(se), je vous conseille d'abord d'inspirer et d'expirer consciemment pour bien revenir au moment présent. Puis, alors que vous serrez l'autre dans vos bras, respirez trois fois consciemment : vous profiterez de votre étreinte plus que jamais encore.

Nous pratiquions la méditation dans l'étreinte lors d'une retraite pour psychothérapeutes dans le Colorado. À son retour chez lui à Philadelphie, l'un des participants étreignit sa femme comme jamais à l'aéroport. Cette étreinte décida sa femme à participer à notre retraite suivante à Chicago.

Cela prend du temps pour être à l'aise dans une telle étreinte. Si vous vous sentez intérieurement un peu vide, vous pouvez avoir envie de donner une grande tape dans le dos à votre ami, pour vous prouver que vous êtes vraiment là. Mais pour être vraiment là, vous n'avez qu'à respirer – et soudain l'autre devient complètement réel aussi. L'un et l'autre existez réellement à ce moment-là. C'est peut-être l'un des meilleurs moments de votre vie.

Imaginez que votre fille vienne et se présente à vous. Si vous n'êtes pas vraiment là – si vous pensez au passé, si vous vous inquiétez pour l'avenir, si vous êtes possédé par la colère ou par la peur –, l'enfant, bien que présente debout en face de vous, n'existera pas pour vous. Elle est comme un fantôme – et vous aussi, peut-être. Si vous voulez être avec elle, vous devez faire retour au moment présent. En respirant consciemment, en unifiant votre corps et votre esprit, vous redevenez une personne réelle. Quand vous devenez une personne réelle, votre fille devient réelle elle aussi. Elle est une présence merveilleuse – et une réelle rencontre avec la vie est possible à ce moment-là. Si vous la serrez dans vos bras et que vous respirez, vous réaliserez à quel point sont précieux ceux que vous aimez – et la vie sera là.

Investir dans ses amis

Même si nous avons beaucoup d'argent en banque, nos souffrances peuvent nous tuer. Donc investir dans un ami, faire d'un ami un *véritable* ami, construire une communauté d'amis est une source de sécurité bien plus grande. Nous aurons quelqu'un sur qui nous appuyer, vers qui aller lors de nos moments difficiles.

Nous pouvons entrer en contact avec les éléments de régénération et de guérison qui sont en nous et autour de nous grâce au soutien aimant d'autres personnes. Si nous avons une bonne communauté d'amis, nous avons beaucoup de chance. Pour créer une bonne communauté, nous devons d'abord nous transformer nous-mêmes en un élément valable. Après quoi, nous pouvons aller vers quelqu'un d'autre et l'aider à devenir quelqu'un de bien. Nous construisons notre réseau d'amis comme ça. Nous devons penser à nos amis et à la communauté en termes d'investissement, comme notre bien le plus précieux. Ils peuvent nous réconforter et nous aider dans les temps difficiles – et ils peuvent partager nos bonheurs et nos joies.

C'est une grande joie d'étreindre son petit-fils – ou sa petite-fille

Vous savez que les personnes âgées sont très tristes quand elles doivent vivre loin de leurs enfants et de leurs petits-enfants. C'est l'une des choses que je n'aime pas en Occident. Dans mon pays, les plus âgés ont le droit de vivre avec les plus jeunes. Ce sont les grands-parents qui racontent des contes aux enfants. Quand ils vieillissent, leur peau est froide et ridée et c'est une grande joie pour eux que de tenir dans leurs bras leurs petits-enfants, si chauds et si tendres. Quand une personne vieillit, son espoir le plus cher est d'avoir un petit-enfant à serrer dans ses bras. La personne vieillissante espère cela jour et nuit. Et quand elle entend que sa fille ou sa belle-fille est enceinte, elle est tellement heureuse ! De nos jours, les personnes âgées doivent aller dans des maisons où ils ne vivent qu'entre personnes âgées. Ce n'est qu'une fois par semaine qu'ils reçoivent une petite visite, après laquelle ils se sentent encore plus tristes. Nous devons faire en sorte que jeunes et vieux puissent vivre ensemble à nouveau. Cela nous rendra tous très heureux.

Une communauté de vie pleinement consciente

La base d'une bonne communauté, c'est une vie quotidienne joyeuse et heureuse. Au Village des Pruniers, les enfants sont au centre de l'attention. Chaque adulte est responsable du bonheur des enfants, car nous savons que leur bonheur facilite celui des adultes.

Quand j'étais enfant, les familles étaient plus vastes. Parents, cousins, oncles, tantes, grands-parents et enfants vivaient tous ensemble. Les maisons étaient entourées d'arbres où nous pouvions suspendre des hamacs et organiser des pique-niques. À cette époque, les gens n'avaient pas tous ces problèmes qu'on a aujourd'hui. Désormais, nos familles sont très réduites, avec juste la mère, le père et un ou deux enfants.

Quand les parents ont un problème, toute la famille en ressent les effets. Même si les enfants vont dans la salle de bains pour essayer d'y échapper, ils peuvent ressentir l'atmosphère pesante. Ils grandissent peut-être alors avec des graines de souffrance qui les empêcheront d'être heureux. Autrefois, quand papa et maman avaient un problème, les enfants pouvaient s'échapper chez un oncle, une tante ou tout autre membre de la famille. Ils avaient toujours quelqu'un vers qui se tourner – et l'atmosphère n'était pas si menaçante.

Je pense que les communautés de vie en pleine conscience, où l'on peut rendre visite à un réseau « d'oncles, tantes et cousins », peuvent nous aider à remplacer nos familles élargies d'autrefois. Chacun d'entre nous a besoin d'« appartenir » à un lieu où chaque trait du paysage, le son des cloches et même la conception des bâtiments lui rappellent le retour à la pleine conscience. J'imagine pour le futur de magnifiques centres où des retraites seront régulièrement organisées – et où individus et familles pourront se rendre pour apprendre et pratiquer l'art de la vie en pleine conscience.

Ceux qui vivraient là répandraient autour d'eux la paix et la fraîcheur d'esprit – fruits de la vie en pleine conscience. Ils seraient comme de beaux arbres, à l'ombre desquels les visiteurs auraient plaisir à s'asseoir. Et ceux qui ne pourraient s'y rendre en personne y viendraient en pensée, souriraient et, à leur tour, connaîtraient la paix et le bonheur.

Mais nous pouvons aussi transformer notre famille ou foyer en une communauté qui pratique l'harmonie et la pleine conscience. Ensemble, nous pouvons pratiquer la respiration et le sourire, nous asseoir ensemble, boire du thé en pleine conscience. Si nous avons une cloche, la cloche fait aussi partie de la communauté, car elle nous aide à pratiquer. Si nous avons un coussin de méditation, le coussin fait partie de la communauté – comme tant d'autres choses, comme l'air que l'on respire, par exemple. Si nous vivons près d'un parc ou des berges d'une rivière, nous pouvons agréablement y méditer en marchant. Tout cela peut nous aider à établir une communauté de famille. De temps en temps, nous pouvons inviter des amis à nous y rejoindre. Pratiquer la pleine conscience est beaucoup plus facile en communauté.

La pleine conscience est un engagement

Quand j'étais au Vietnam, tant de nos villages furent bombardés. Avec mes frères et sœurs du monastère, je dus décider de faire quelque chose. Devions-nous continuer à pratiquer en salle de méditation – ou devions-nous rejoindre à l'extérieur ceux qui souffraient sous les bombes ? Après avoir réfléchi avec soin, nous décidâmes de faire l'un et l'autre – de sortir aider les autres et de le faire en pleine conscience. Nous appelâmes cela le « bouddhisme engagé ». La pleine conscience doit être engagée. Une fois qu'on a vu, il faut agir. Sinon, à quoi servirait-il de voir ?

Nous devons être conscients des vrais problèmes du monde. Alors, en pleine conscience, nous saurons ce qu'il faut faire et ce qu'il ne faut pas faire pour aider autrui. Si nous continuons à être conscients de notre respiration et à pratiquer le sourire, alors, même dans des situations difficiles, beaucoup de gens, d'animaux et de plantes pourront bénéficier de notre façon de faire. Est-ce que vous massez bien notre mère la Terre à chaque fois que votre pied touche terre ? Plantez-vous des graines de joie et de paix ? C'est exactement ce que j'essaie de faire à chacun de mes pas – et je sais que notre mère la Terre l'apprécie. La paix est à chaque pas. On continue notre voyage ?

TROISIÈME PARTIE

La paix est à chaque pas

Inter-être

Si vous êtes un poète, vous verrez clairement le nuage flotter dans cette feuille de papier. Sans nuage, pas de pluie. Sans pluie, les arbres ne peuvent pas pousser. Et sans arbres, on ne peut pas faire de papier. Le nuage est essentiel à l'existence du papier. Si le nuage n'est pas là, la feuille de papier n'y est pas non plus. Donc on peut dire que nuage et feuille de papier « inter-sont ». Inter-être n'est pas encore dans le dictionnaire, mais si on combine le préfixe « inter » et le verbe « être », on a un nouveau verbe : *inter-être*.

Si l'on regarde encore plus en profondeur cette feuille de papier, on peut y voir le soleil. Sans soleil, la forêt ne grandit pas. En fait, rien ne grandit sans soleil. Du coup, on sait que le soleil est aussi dans cette feuille de papier. Le soleil et le papier inter-sont. Et si l'on continue à regarder, on peut voir le bûcheron qui a coupé l'arbre et l'a mené à la fabrique pour le transformer en papier. Et l'on voit alors le blé. Nous savons que le bûcheron ne peut exister sans son pain quotidien – et du coup, le blé qui est devenu son pain est aussi dans la feuille de papier. Le père et la mère du bûcheron y sont aussi. Quand l'on regarde de cette façon, nous voyons bien que sans toutes ces choses, la feuille de papier ne peut pas exister.

En regardant encore plus profondément, nous pouvons nous y voir nous aussi, dans cette feuille de papier. Ce n'est pas difficile à voir puisque la feuille regardée fait partie de *notre perception*. Votre esprit est là – et le mien aussi. On peut donc dire que tout est dans cette feuille de papier. Il est impossible d'y nommer une chose qui n'y soit pas – le temps, l'espace, la terre, la pluie, les minéraux du sous-sol, le soleil, le nuage, la rivière, la chaleur. Tout coexiste dans cette feuille de papier. C'est pourquoi je pense que le mot inter-être devrait être dans le dictionnaire : « être », c'est inter-être. On n'*est* jamais tout seul. Nous devons inter-être avec tout ce qui existe. Cette feuille de papier est, car tout le reste est.

Supposez que nous voulions faire revenir un de ces éléments à sa source, les rayons du soleil au soleil, par exemple. Pensez-vous que cette feuille de papier pourra continuer d'exister ? Non : car sans la lumière du soleil, rien ne peut être. Et si nous supprimions le bûcheron, le faisant revenir au temps précédant sa conception, alors nous n'aurions pas non plus de feuille de papier. Le fait est que cette feuille de papier est uniquement faite d'éléments « non-papier ». Et si nous faisions revenir ces éléments à leur source, alors il n'y aurait plus de papier du tout. Sans éléments « non-papier », comme l'esprit, le bûcheron, la lumière du soleil, etc., il n'y aura pas de papier. Aussi fine que soit cette feuille de papier, elle contient tout l'univers en elle.

Les fleurs et l'ordure

Souillé, immaculé. Sale, pur. Ce sont des concepts que l'on forme dans notre esprit. Une belle rose que l'on vient juste de cueillir et que l'on a placée dans un vase est pure. Elle sent si bon, elle est si fraîche. Une poubelle, c'est l'inverse. Ça pue et c'est plein de choses pourries. Mais cela, c'est seulement quand on regarde à la surface. Si l'on regarde plus profondément, on verra qu'en à peine cinq ou six jours, la rose finira à la poubelle. Pas besoin d'attendre cinq jours pour s'en rendre compte. Si l'on ne regarde que la rose, et qu'on la regarde profondément, on le voit tout de suite. Et si l'on regarde dans la poubelle, nous voyons qu'en quelques mois, son contenu peut être transformé en délicieux légumes, et même en roses. Si vous êtes un bon jardinier, vous voyez la poubelle dans la rose – et la rose dans la poubelle. Les roses et la poubelle inter-sont. Sans rose, pas de poubelle. Et sans poubelle, pas de rose. Elles sont très nécessaires l'une à l'autre. La poubelle est tout aussi précieuse que la rose. Si nous regardons en profondeur les concepts de « souillé » et « d'immaculé », nous en revenons à l'inter-être.

À Manille, il y a beaucoup de jeunes prostituées. Certaines n'ont que quatorze ou quinze ans. Elles sont très malheureuses. Elles ne voulaient pas devenir prostituées. Mais leurs familles sont pauvres et ces jeunes filles sont montées à la ville pour trouver du travail, comme vendeuses de rue par exemple, afin d'envoyer de l'argent à leur famille. Bien sûr, c'est vrai à Manille comme à Ho-Chi-Minh-Ville au Vietnam, à New York et aussi à Paris. Après quelques semaines de séjour en ville, une fille vulnérable peut être persuadée par quelqu'un de malin de travailler pour lui et de gagner peut-être cent fois plus que ce qu'elle gagnerait comme vendeuse de rue. Comme elle est très jeune et connaît peu la vie, elle accepte et devient prostituée. Dès lors, elle commence à se sentir impure, souillée – et cela la fait beaucoup souffrir. Quand elle regarde les autres jeunes filles, bien habillées, appartenant à de bonnes familles, elle se sent misérable et le sentiment de souillure lui devient un enfer.

Mais si elle pouvait voir en elle-même plus profondément et considérer la situation dans son ensemble, elle verrait qu'elle est ce qu'elle est parce que d'autres gens sont ce qu'ils sont. Comment une « fille bien », appartenant à une bonne famille, peut-elle être fière d'elle-même ? Parce que les « bonnes familles » vivent ainsi, la prostituée est la prostituée. Personne d'entre nous n'a les mains propres. Personne d'entre nous ne peut dire qu'il n'est pas responsable. La fille de Manille en est là parce que nous sommes ce que nous sommes. Dans la vie de cette jeune prostituée, il y a la vie de tous les « non-prostitués ». Et dans la vie des non-prostitués et dans la façon dont nous vivons nos vies, il y a la prostituée. Chaque chose contribue à en créer une autre.

Regardons à présent la pauvreté et la richesse. La société d'abondance et celle des démunis inter-sont. La richesse d'une société est faite de la pauvreté de l'autre. « C'est comme ceci, parce que c'est comme cela. » La richesse est faite d'éléments de la non-richesse et la pauvreté est faite d'éléments de la non-pauvreté. C'est exactement comme avec la feuille de papier. Nous devons donc faire attention à ne pas nous emprisonner dans des concepts. La vérité, c'est que tout est dans tout. On ne peut pas simplement être, on ne peut qu'inter-être. Nous sommes responsables de tout ce qui arrive autour de nous.

Ce n'est qu'avec les yeux de l'inter-être que la jeune fille pourra être libérée de ses souffrances. Alors seulement, elle comprendra qu'elle porte le fardeau du monde entier. Que pouvons-nous lui offrir en échange ? En regardant profondément en nous-mêmes, nous la verrons, elle, et nous partagerons sa peine et la peine du monde entier. Alors, nous pourrons vraiment commencer à être utiles.

Faire la paix

Si la Terre était votre corps, vous sentiriez qu'elle souffre à bien des égards. La guerre, l'oppression politique et économique, la famine et la pollution font des ravages dans tellement d'endroits. Chaque jour, des enfants deviennent

117

aveugles à cause de la malnutrition, leurs mains fouillant désespérément à la recherche de quelques bribes de nourriture dans des montagnes d'immondices. Les adultes meurent peu à peu en prison, enfermés comme opposants. Les rivières meurent et l'air devient de moins en moins respirable. Bien que les deux puissances (américaine et russe) se montrent sous un visage un peu plus amical, elles ont toujours assez d'armes nucléaires pour détruire la Terre des dizaines de fois.

Bien des gens sont conscients des souffrances du monde ; leurs cœurs sont emplis de compassion. Ils savent ce qui doit être fait et ils s'engagent dans des mouvements politiques, sociaux et environnementaux pour essayer de changer les choses. Mais après une période d'implication intense, ils courent le risque de se décourager s'ils n'ont pas la force nécessaire pour soutenir une vie d'action. La vraie force n'est pas dans le pouvoir, l'argent ou les armes, mais dans une paix profonde et intérieure.

En pratiquant la pleine conscience à chaque instant de notre vie, dans les activités quotidiennes, nous cultivons la paix en nous. Grâce à la clarté, la détermination et la patience – les fruits de la méditation –, nous devenons capables de soutenir une vie d'action et d'être de vrais instruments de la paix. J'ai pu remarquer cette paix chez des gens de religions et de cultures très différentes, qui donnent leur temps et leur énergie pour protéger les faibles, lutter pour la justice sociale, réduire les disparités entre les riches et les pauvres, stopper la course aux armements, lutter contre les discriminations et arroser les arbres de l'amour et de la compréhension partout dans le monde.

Être un et non pas deux

Quand nous voulons comprendre quelque chose, nous ne pouvons pas simplement nous mettre de côté et observer. Il nous faut entrer profondément dans la chose et ne faire qu'un avec elle pour vraiment la comprendre. Si nous voulons comprendre une personne, nous devons ressentir ce qu'elle ressent, souffrir de ses souffrances et jouir de sa joie. Le mot « comprendre » vient du latin *cum-prehendere*, qui signifie prendre (ou attraper) avec. Comprendre quelque chose, cela veut dire la saisir et ne faire qu'un avec elle. Il n'y a pas d'autre moyen de comprendre quelque chose. Dans le bouddhisme, cette sorte de compréhension est appelée « non-dualité », n'être pas deux.

Il y a quinze ans, j'ai aidé un comité pour les orphelins de la guerre au Vietnam. Depuis l'Asie, les travailleurs sociaux envoyaient des dossiers : c'était une feuille de papier avec la photo de l'enfant indiquant son nom, son âge et sa situation. Mon travail, c'était de traduire le dossier du vietnamien en français de façon à ce que chaque enfant puisse trouver un parrain, qu'il ait de quoi manger, dispose de manuels scolaires et puisse être placé chez une tante, un oncle ou un grand-parent. Le comité en France se chargeait alors d'envoyer l'argent au parent qui s'occuperait de l'enfant.

Chaque jour, j'aidais à traduire trente dossiers. Je le faisais en regardant la photo de l'enfant. Je ne lisais pas les dossiers. Je prenais juste un peu de temps pour regarder la photo. En général, après trente à quarante secondes, je ne faisais qu'un avec l'enfant. Alors, je prenais mon stylo et je traduisais les mots du dossier sur une autre feuille. Après coup, je réalisai que ce n'était pas moi qui avais traduit le dossier : c'était l'enfant et moi, qui étions devenus un. En regardant son visage, je me sentais inspiré et je devenais l'enfant (ou bien il ou elle devenait moi) et, ensemble, nous faisions la traduction. C'est très naturel. Pas la peine de méditer très souvent pour être capable de faire cela. Vous regardez, et en vous laissant aller, vous vous perdez dans l'enfant, et l'enfant en vous.

Guérir les blessures de la guerre

Si seulement les États-Unis avaient pu avoir une vision non duale à propos du Vietnam, il n'y aurait pas eu tant de destructions dans les deux pays. La guerre continue de faire du mal aux Américains comme aux Vietnamiens. Si nous sommes suffisamment attentifs, nous pouvons encore apprendre de la guerre du Vietnam.

L'année dernière, j'ai fait une retraite merveilleuse aux États-Unis avec des vétérans de la guerre du Vietnam. C'était une retraite difficile parce que bon nombre d'entre nous n'arrivaient pas à laisser aller leur douleur. Un gradé me dit que, au Vietnam, il avait perdu quatre cent dix-sept hommes en une seule bataille. En un seul jour. Quatre cent dix-sept hommes moururent en un combat – et lui a dû vivre avec ça pendant plus de quinze ans. Une autre personne m'a dit que, sous le coup de la colère et de la vengeance, il avait tué des enfants dans un village et que, depuis lors, il avait perdu toute paix en lui. Depuis la guerre, il n'a plus jamais pu s'asseoir tout seul avec des enfants dans une pièce. Il y a beaucoup de sortes de souffrance – et elles peuvent nous couper du monde non souffrant.

Nous devons nous exercer mutuellement à nous aider à être en contact. Un soldat m'a dit qu'avec cette retraite, c'était la première fois qu'il se sentait en sécurité au milieu d'autres personnes. Pendant quinze ans, il a eu du mal à avaler des aliments solides. Il pouvait seulement boire du jus de fruits et manger un peu de fruits. Il était complètement fermé et ne pouvait pas communiquer. Mais après trois ou quatre jours de pratique, il a commencé à s'ouvrir et à parler aux gens. Vous devez offrir beaucoup d'amour pour aider une telle personne à revenir au monde. Durant la retraite, nous avons pratiqué la respiration consciente et le sourire. Nous nous sommes encouragés les uns les autres à revenir à la fleur en nous – et aux arbres et au ciel bleu qui nous protègent.

Nous avons pris le petit déjeuner en silence. Nous avons mangé notre petit déjeuner de la même façon que je mangeais le biscuit de mon enfance. Nous avons fait des choses comme ça, des marches conscientes pour être en contact avec la Terre. Nous avons respiré consciemment pour nous relier à l'air et nous avons regardé profondément notre thé pour entrer en contact avec lui. Nous nous sommes assis ensemble, nous avons respiré ensemble, nous avons marché ensemble – et nous avons essayé d'apprendre de l'expérience vietnamienne. Les vétérans ont des choses à dire à la nation américaine sur la façon de se comporter face à d'autres problèmes qui vraisemblablement naîtront, et qui ne seront pas différents de ceux qui se sont posés au Vietnam. De nos souffrances, nous devons apprendre quelque chose.

Nous avons besoin de cette vision de l'inter-être – nous appartenons les uns aux autres ; nous ne pouvons pas découper la réalité en morceaux. Le bien-être de « ceci » est le bien-être de « cela » – donc il faut que nous fassions les choses ensemble. Chaque camp est « notre camp » ; il n'y a pas de camp du mal. Les vétérans ont l'expérience qui fait d'eux la lumière à l'extrémité de la chandelle : ils illuminent les racines de la guerre et le chemin vers la paix.

Le soleil, mon cœur

Nous savons que si notre cœur cesse de battre, notre vie s'arrête. Donc nous le choyons. Mais nous ne prenons pas toujours le temps de faire attention aux autres éléments, à l'extérieur de nous, qui sont tout aussi essentiels à la survie.

Regardez l'immense lumière qu'on appelle le soleil. S'il cesse de briller, notre vie s'arrête aussi. Le soleil est donc notre deuxième cœur, un cœur à l'extérieur de notre corps. Ce « cœur » immense donne la chaleur nécessaire à l'existence de toute vie terrestre. Les plantes vivent grâce au soleil. Leurs feuilles absorbent l'énergie du soleil, ainsi que le CO_2 de l'air. Ainsi, elles produisent des nutriments pour l'arbre, les fleurs, le plancton. Et grâce aux plantes, la vie humaine et animale est possible. Nous tous – êtres humains, animaux et plantes – consommons le soleil, directement et indirectement. Il serait trop long de décrire tous les effets du soleil, le grand cœur à l'extérieur du corps de l'homme.

Notre corps, ce n'est pas seulement ce qui se trouve à l'intérieur des limites de la peau. Notre corps est bien plus grand que cela. Il inclut même la couche d'air autour de la Terre ; car si l'atmosphère disparaissait ne serait-ce qu'un instant, notre vie finirait. Il n'y a pas un phénomène dans l'univers qui ne nous concerne intimement – d'un caillou se reposant au fond de l'océan jusqu'au mouvement d'une galaxie à des millions d'années-lumière. Walt Whitman a écrit : « Je crois qu'un brin d'herbe ne compte pas moins que le labeur des étoiles. » Ce n'est pas de la philosophie. Ces mots viennent des profondeurs de son âme. Il a écrit aussi : « Je suis grand, je contiens des multitudes. »

Regarder profondément

Nous devons regarder profondément dans les choses pour les voir vraiment. Quand un nageur profite de l'eau claire d'une rivière, il doit être aussi la rivière. Un jour, à l'occasion de l'une de mes premières visites aux États-Unis, je déjeunais à l'université de Boston avec quelques amis. Je regardai vers la rivière Charles en contrebas. J'étais parti de chez moi depuis pas mal de temps. Voyant cette rivière, je la trouvai très belle. Je quittai donc mes amis et allai me laver le visage et tremper mes pieds dans l'eau, comme nous le faisons dans notre pays. Quand je m'en revins, un professeur me dit : « C'est très dangereux de faire ça. Vous êtes-vous rincé la bouche dans la rivière ? » Je répondis que oui et il me dit : « Vous devriez aller voir un docteur pour qu'il vous fasse une piqûre. »

J'étais choqué. Je ne savais pas que les rivières étaient si polluées. Certaines sont même appelées « des rivières mortes ». Dans mon pays, les rivières sont parfois très boueuses mais jamais sales de cette façon. Quelqu'un m'a dit que le Rhin, en Allemagne, contient tant de produits chimiques que l'on peut y développer des photos ! Si l'on veut continuer à profiter de nos rivières – y nager, se promener à leur bord, et même en boire l'eau –, nous devons adopter la perspective « non duale ». Nous devons méditer et *être* la rivière, afin que nous puissions expérimenter en nous-mêmes les peurs et les espoirs de la rivière. Si l'on n'est pas capable de ressentir les rivières, les montagnes, l'air, les animaux et les autres êtres humains de leur point de vue, les rivières mourront et nous laisserons passer une chance de faire la paix.

Si vous êtes un alpiniste, ou si vous aimez la campagne, ou les vertes forêts, vous savez que les forêts sont nos poumons à l'extérieur du corps, tout comme le soleil est notre cœur extérieur. Pourtant, nous agissons d'une façon qui a permis que cinq millions de kilomètres carrés de forêts soient détruits par les pluies acides. Nous avons également détruit une partie de la couche d'ozone qui régule notre exposition aux rayons du soleil. Nous sommes emprisonnés dans notre petit moi, en ne pensant qu'à notre confort personnel – et pendant ce temps, nous détruisons notre grand Moi. Nous devons pouvoir être notre vrai Moi. C'est-à-dire que nous devrions être capables d'être la rivière, la forêt, le soleil et la couche d'ozone. Nous devons agir ainsi pour comprendre et avoir de l'espoir pour demain.

L'art de vivre en pleine conscience

La nature est notre mère. Si nous tombons malades, c'est parce que nous vivons coupés d'elle. Certains d'entre nous vivent dans des boîtes appelées appartements, très au-dessus du sol. Autour de nous, il n'y a que du ciment, du métal et des choses dures comme ça. Nos doigts n'ont jamais l'occasion de toucher la terre ; nous ne plantons plus de laitues. Nous tombons malades parce que nous sommes si éloignés de

125

notre mère la Terre. C'est pourquoi nous avons besoin de sortir de temps en temps et d'être dans la nature. C'est très important. Nos enfants et nous devrions retrouver le contact avec Mère Nature. Dans bien des villes, on ne voit pas d'arbres – la couleur verte est entièrement absente de notre vision.

Un jour, j'ai imaginé une ville où il ne restait plus qu'un seul arbre. L'arbre était encore beau mais très seul, entouré par des immeubles au centre de la ville. Beaucoup de gens tombaient malades et la plupart des docteurs ne savaient pas comment les guérir. Mais un très bon docteur connaissait les causes de la maladie et donnait cette ordonnance à chaque patient : « Chaque jour, prenez le bus et allez au centre-ville voir cet arbre. En approchant de lui, inspirez et expirez. Quand vous y serez, serrez l'arbre dans vos bras tout en inspirant et en expirant pendant un quart d'heure. Regardez l'arbre, si vert, et sentez son écorce, si odorante. Si vous faites cela, en l'espace de quelques semaines vous vous sentirez beaucoup mieux. »

Les gens commencèrent à se sentir mieux. Très vite, il y eut tant de gens se ruant vers l'arbre qu'ils devaient faire la queue sur des kilomètres. Vous savez que nos contemporains ont peu de patience. Du coup, rester debout pendant trois ou quatre heures avant d'étreindre l'arbre leur était insupportable. Et ils se rebellèrent. Ils organisèrent des manifestations pour faire passer une loi qui empêchait d'étreindre l'arbre plus de cinq minutes à la fois. Du coup, cela réduisait les chances de guérison. Bientôt, le temps autorisé ne fut plus que d'une minute. Et l'occasion d'être guéri par notre Mère disparut.

Nous pourrions nous trouver dans cette situation très bientôt si nous ne faisons pas attention. Nous devons pratiquer la vigilance en tout ce que nous faisons si nous voulons sauver notre Mère la Terre – ainsi que nous-mêmes et nos enfants. Par exemple, quand nous regardons dans notre poubelle, nous pouvons y voir laitues, concombres, tomates, fleurs. Quand on jette une peau de banane dans la poubelle, nous sommes conscients du fait que c'est une peau de banane que nous jetons : celle-ci se transformera en une fleur ou un légume très bientôt. Méditer, c'est exactement ça.

Quand on jette un sac en plastique à la poubelle, nous savons qu'il n'est pas comme une peau de banane. Il lui faudra plus de temps pour devenir une fleur. « En jetant un sac plastique dans la poubelle, je sais que je jette un sac plastique dans la poubelle. » Rien que cet état de conscience-là nous aide à protéger la Terre, à faire la paix et à prendre soin de la vie au moment présent et pour demain. Si nous sommes conscients, nous essaierons tout naturellement d'utiliser moins de sacs plastiques. Ceci est un acte de paix, un acte de paix fondamental.

Quand nous jetons une couche de bébé à la poubelle, nous savons que cela prend encore plus de temps pour devenir une fleur – quatre cents ans ou plus. Savoir qu'utiliser des couches jetables ne va pas dans la direction de la paix nous incite à réfléchir à d'autres moyens d'assurer le confort de bébé. En pratiquant la respiration et en contemplant notre corps, nos sentiments, notre esprit et ses créations, nous pratiquons la paix au moment présent. C'est cela, vivre en pleine conscience.

Les déchets nucléaires sont la pire sorte de déchets. Ils mettent environ deux cent cinquante mille ans à se transformer en fleurs. Quarante des cinquante États d'Amérique sont déjà pollués par les déchets nucléaires. Nous faisons de la Terre un endroit inhabitable pour nous-mêmes et pour bon nombre des générations à venir. Si nous vivons au moment présent en pleine conscience, nous saurons ce qu'il faut faire et ce qu'il ne faut pas faire. Nous essaierons d'agir dans la perspective de la paix.

Nourrir la vigilance

Quand l'on s'assied pour dîner et que l'on regarde notre assiette pleine d'une nourriture qui sent bon, appétissante, nous pouvons nourrir notre conscience de l'amère douleur de ceux qui souffrent de la faim. Chaque jour, quarante mille enfants meurent de faim et de malnutrition. Chaque jour ! Un tel chiffre nous choque chaque fois que nous l'entendons. En regardant profondément notre assiette, nous pouvons « voir » notre Mère la Terre, les fermiers et la tragédie de la faim et de la malnutrition.

Nous qui vivons en Amérique du Nord et en Europe sommes habitués à manger des céréales et d'autres aliments importés des pays en développement – le café de Colombie, le chocolat du

Ghana ou le riz parfumé de Thaïlande. Nous devons avoir conscience que les enfants de ces pays, excepté ceux élevés dans de riches familles, ne voient jamais de tels produits chez eux. Ils mangent des aliments de second ordre, tandis que les produits les plus délicieux sont mis de côté pour l'exportation – et rapportent ainsi des devises. Il y a même des parents qui, parce qu'ils n'ont pas les moyens de nourrir leurs enfants, doivent se résoudre à vendre leurs enfants comme domestiques à des familles qui, elles, auront de quoi les nourrir.

Avant chaque repas, nous pouvons joindre nos mains en pleine conscience et penser à ces enfants qui n'ont pas assez à manger. Faire cela nous aidera à rester conscients de la chance que nous avons. Peut-être alors qu'un jour, nous trouverons le moyen de faire quelque chose pour aider à changer le système injuste qui gouverne le monde. Dans beaucoup de familles de réfugiés, avant chaque repas, un enfant lève son bol de riz et dit ceci : « Aujourd'hui, à table, il y a beaucoup de plats délicieux. Je suis reconnaissant d'être ici avec ma famille pour pouvoir les apprécier. Je sais qu'il y a beaucoup d'enfants qui ont moins de chance que moi et qui sont très affamés. » En tant que réfugié, il sait par exemple que la plupart des enfants thaïs ne voient jamais cette sorte de riz de très bonne qualité qui pousse en Thaïlande – et que lui s'apprête à manger. Il est difficile d'expliquer aux enfants des nations « surdéveloppées » que tous les enfants du monde n'ont pas un repas aussi délicieux et nourrissant à manger. La conscience de ce simple fait peut nous aider à dépasser bon nombre de nos souffrances psychologiques. Finalement, notre méditation pourra nous aider à voir ce que l'on peut faire pour aider ceux qui ont tant besoin de notre aide.

Une lettre d'amour à votre député

Dans le mouvement pour la paix, il y a beaucoup de colère, de frustration et d'incompréhension. Les militants des mouvements pour la paix savent écrire de très bonnes lettres de protestation – mais ils sont moins doués pour les lettres d'amour. Nous devons apprendre à écrire des lettres que le président et les parlementaires auront envie de lire et non de mettre à la corbeille. La façon dont nous les tournons, notre compréhension et le langage que nous utilisons ne devraient pas rebuter. Le président est une personne comme nous tous.

Le mouvement pour la paix peut-il parler avec amour, montrant ainsi le chemin vers la paix ? Je pense qu'effectivement, tout dépend de la capacité des militants pour la paix à être eux-mêmes « la paix ». Car sans être la paix, on ne peut rien faire pour elle. Si l'on ne peut pas sourire, on ne peut pas aider les autres à sourire. Si nous ne sommes pas paisibles, alors on ne peut pas contribuer au mouvement pour la paix.

J'espère que nous pourrons offrir au pacifisme une nouvelle dimension. Le pacifisme est souvent plein de colère et de haine. Il ne remplit pas le rôle qu'on attend de lui. Nous avons besoin d'une nouvelle façon d'être la paix – et de faire la paix.

C'est pourquoi il est si important que nous puissions pratiquer la pleine conscience : pour acquérir la capacité de voir, de regarder et de comprendre. Ce serait merveilleux si nous pouvions apporter aux mouvements pour la paix notre façon « non duale » de regarder les choses. Rien que cela diminuerait déjà la haine et l'agressivité. Travailler pour la paix veut dire, avant tout, être la paix. Nous dépendons les uns des autres. Nos enfants dépendent de nous – et de notre capacité à leur construire un avenir.

Citoyenneté

En tant que citoyens, nous avons une grande responsabilité. Nos vies quotidiennes, la façon dont nous buvons et mangeons ont à voir avec la situation politique du monde. Chaque jour nous faisons des choses, nous sommes des choses qui ont à voir avec la paix. Si nous sommes conscients de notre façon de vivre, de consommer, de regarder les choses, nous saurons comment faire la paix au moment présent, à l'heure de notre vie. Nous pensons que notre gouvernement est libre d'adopter n'importe quelle politique, mais cette liberté est en fait fonction de la manière dont nous vivons jour après jour. Si nous rendons possible un changement de politique, il pourra se faire. Pour le moment, il semble que l'heure ne soit pas encore venue.

Vous pensez peut-être qu'en entrant au gouvernement et en obtenant un certain pouvoir, vous seriez capable de faire tout ce dont vous avez envie ? C'est faux. Si vous deveniez président, vous seriez confronté à la dure réalité. Vous feriez peut-être exactement la même chose que notre président actuel – peut-être un peu mieux, peut-être un peu moins bien.

Méditer, c'est regarder profondément dans les choses et voir comment nous pouvons transformer notre situation. Transformer notre situation, c'est aussi transformer nos esprits. Et réciproquement : transformer nos esprits, c'est transformer la situation – parce que la situation est l'esprit, et l'esprit la situation. L'éveil est capital. Les bombes, l'injustice et notre être ont une même racine.

Si nous commençons nous-mêmes à vivre de manière plus responsable, nous devons demander à nos dirigeants politiques d'avancer dans le même sens. Nous devons les encourager à cesser de polluer notre environnement et nos consciences. Nous devons les aider à nommer des conseillers qui partagent notre point de vue sur la paix. Les hommes d'État pourraient ainsi se tourner vers eux pour demander conseil et soutien. Pour soutenir nos dirigeants politiques, surtout en période de campagne électorale, cela demande une certaine perspicacité. Nous avons la possibilité de les informer de nombre de sujets très importants – plutôt que de choisir nos leaders en fonction de leur bonne mine à la télévision et d'être ensuite déçus par leur manque de pleine conscience.

Il faut écrire des articles et faire des discours pour promouvoir l'idée que les leaders politiques doivent être aidés par ceux qui pratiquent la pleine conscience, par ceux qui ont un grand sens du calme, de la paix et une vision claire de ce que le monde devrait être. Si nous faisons cela, nous commencerons à élire des leaders qui avanceront vers la paix. Le gouvernement français a fait des efforts en ce sens, en nommant des ministres défendant la cause de l'écologie et de l'humanitaire – comme Bernard Kouchner qui a participé au sauvetage de boat people dans le golfe du Siam. Cette attitude est un bon signe.

L'écologie de l'esprit

Nous avons besoin d'harmonie, nous avons besoin de paix. La paix est basée sur le respect de la vie, la vénération profonde de la paix. Nous devons non seulement respecter la vie des êtres humains – mais nous devons aussi respecter celle des animaux, des légumes et des minéraux. Les rochers peuvent être vivants. Un rocher peut être détruit. La Terre aussi. La destruction de notre santé par la pollution de l'air et de l'eau est liée à la destruction des minéraux. La façon dont nous cultivons, la façon dont nous gérons nos déchets – toutes ces choses sont liées.

L'écologie, ce devrait être une écologie en profondeur. Et pas seulement en profondeur, mais universelle – car nos consciences aussi sont polluées. La télévision, par exemple, est une forme de pollution pour les grands et les petits. La télévision sème des graines de violence et d'anxiété chez nos enfants : elle pollue leur conscience de la même manière que nous détruisons notre environnement avec les produits chimiques ou les arbres que l'on coupe. Nous devons protéger l'écologie de l'esprit, sinon la violence et l'insouciance dans ce domaine continueront à envahir bien d'autres domaines de la vie.

Les racines de la guerre

En 1966, j'étais aux États-Unis et j'appelais à un cessez-le-feu au Vietnam. Durant l'une de mes conférences, un jeune pacifiste américain se leva et dit : « Le mieux que vous ayez à faire, ce serait de retourner dans votre pays et d'y vaincre l'agresseur américain ! Vous ne devriez pas être ici. Vous ne servez absolument à rien ici ! »

Lui et beaucoup d'Américains voulaient la paix, mais la sorte de paix qu'ils voulaient passait par la défaite d'un camp. Alors, leur colère serait rassasiée. Au départ, ils avaient appelé à un cessez-le-feu mais n'avaient pas été entendus. Ils s'étaient donc mis en colère : la seule solution envisageable passait désormais par la défaite de leur propre pays. Nous, Vietnamiens, qui souffrions sous les bombes, devions faire preuve d'un peu plus de réalisme. Nous voulions la paix. Nous nous moquions bien de la victoire ou de la défaite de l'un ou de l'autre camp. Nous voulions juste que les bombes arrêtent de tomber sur nos têtes. Mais beaucoup d'activistes des mouvements pour la paix s'opposaient à notre proposition d'un cessez-le-feu immédiat. Personne ne semblait comprendre notre point de vue.

Quand j'entendis ce jeune homme crier : « Rentrez et faites capituler l'agresseur américain », je pris plusieurs inspirations profondes pour me reprendre et dis : « Monsieur, il m'apparaît que bien des racines de la guerre sont ici, dans votre pays. C'est pourquoi je suis venu. L'une des racines, c'est votre façon de voir le monde. L'un et l'autre camp sont victimes de politiques erronées, des politiques qui croient dans la violence pour régler les problèmes. Je ne veux pas que les Vietnamiens meurent – et je ne veux pas que les soldats américains meurent non plus. »

Les racines de la guerre sont dans la façon dont nous vivons au quotidien – la façon dont nous développons notre industrie, construisons notre société et consommons des biens. Nous devons considérer la situation avec profondeur ; alors nous verrons les racines de la guerre. On ne peut pas simplement accuser un camp ou un autre. Nous devons transcender notre propension à prendre parti.

Dans tout conflit, on a besoin de gens qui comprennent la souffrance des deux camps. Par exemple, si un certain nombre de Sud-Africains pouvaient passer d'un camp à l'autre et comprendre les souffrances du camp opposé – puis les communiquer au camp d'en face –, cela pourrait beaucoup aider. Nous avons besoin de liens. Nous avons besoin de communication.

Pratiquer la non-violence, c'est avant tout être non-violent soi-même. Ainsi, en cas de difficulté, nous réagirons bien, d'une manière qui aide à résoudre le conflit. Ceci est valable tant pour les problèmes familiaux que pour les problèmes de société.

Comme la feuille, nous avons de nombreuses branches

Un automne, je me trouvais dans un parc, absorbé dans la contemplation d'une toute petite – et très jolie – feuille en forme de cœur. Elle était presque rouge et ne pendait plus qu'à moitié de la branche, prête à tomber. Je passai un bon moment avec elle et je lui posai un certain nombre de questions. Je découvris que la feuille avait été la maman de cet arbre. Normalement, on pense que c'est l'arbre qui est la mère et que les feuilles ne sont que les enfants. Mais en regardant la feuille, je vis que la feuille était aussi la mère de l'arbre. La sève que les racines puisent n'est faite que d'eau et de minéraux, insuffisants pour nourrir l'arbre. En fait, l'arbre distribue de la sève brute aux feuilles : celles-ci, avec l'aide du soleil et de l'air, la transforment en sève élaborée puis la renvoient à l'arbre comme nourriture. Du coup, les feuilles sont aussi les mères de l'arbre. Puisque la feuille est liée à l'arbre par une tige, la communication entre eux est facile à voir.

Nous n'avons plus de tige nous reliant encore à notre mère. Mais quand nous étions dans son ventre, nous avions une très longue tige – le cordon ombilical. L'oxygène et les nutriments dont nous avions besoin nous parvenaient par ce canal. Puis, un jour, nous sommes nés : la tige fut coupée et nous reçûmes alors l'illusion d'être devenus indépendants. Or ce n'est pas vrai du tout ! Nous continuons à dépendre de notre mère pendant très longtemps – et nous avons aussi bon nombre d'autres mères avec nous. La Terre est notre mère. Nous avons énormément de tiges qui nous relient à elle. Il y a aussi des tiges qui nous relient aux nuages. S'il n'y a pas de nuages, il n'y a pas non plus d'eau pour boire. Nous sommes faits d'au moins 70 % d'eau – et la tige entre le nuage et nous est vraiment là. C'est aussi le cas avec la rivière, la forêt, le bûcheron et le fermier. Il y a des centaines de milliers de tiges qui nous relient à tout ce qui se trouve dans le cosmos – nous soutenant et nous permettant d'être. Voyez-vous le lien entre vous et moi ? Si vous n'êtes pas là, je ne suis pas là non plus. C'est certain. Si vous n'en avez pas encore conscience, s'il vous plaît, regardez un peu plus profondément – et je suis sûr que vous verrez ce lien entre vous et moi.

Je demandai à la feuille si elle avait peur, parce que c'était l'automne et que les autres feuilles tombaient. La feuille me dit : « Non. Pendant tout le printemps et l'été, j'étais complètement vivante. J'ai travaillé dur pour aider à nourrir l'arbre – et maintenant beaucoup de moi est dans l'arbre. Je ne suis pas limitée à cette forme. Je suis aussi l'arbre en entier. Et quand je retournerai à la terre, je continuerai à nourrir l'arbre. Alors, ne t'inquiète pas du tout. Quand je quitterai cette branche et flotterai en direction du sol, je ferai un signe à l'arbre et je lui dirai : je te reverrai très bientôt. »

Ce jour-là, le vent se mit à souffler. Au bout d'un moment, je vis la feuille quitter la branche et flotter jusqu'au sol, dansant joyeusement parce qu'en flottant, elle se voyait déjà dans l'arbre. Elle était si heureuse. J'inclinai ma tête – sachant que j'avais beaucoup à apprendre de cette feuille.

Nous sommes tous liés les uns aux autres

Des millions de gens sont fans de sport. Si vous aimez le foot, vous encouragez certainement une équipe et vous vous identifiez à elle. Il peut vous arriver de regarder les matchs avec exaltation ou désespoir. Peut-être donnez-vous un petit coup de pied sur la balle de temps en temps pour l'aider à avancer. Si on ne choisit pas son camp, on s'amuse moins ! À la guerre aussi, on choisit son camp – en général celui qui est attaqué. Les mouvements pacifistes naissent donc de ce sentiment. On se met en colère, on crie... mais on s'élève rarement au-dessus du conflit pour l'examiner comme le ferait une mère qui observe ses deux enfants se battre. Et qui n'attend qu'une chose : leur réconciliation.

« Pour pouvoir se battre, les poussins nés de la même poule mettent de la couleur sur leurs visages. » C'est un proverbe vietnamien très connu. Mettre des couleurs sur son visage, c'est faire de soi un étranger à ses propres frères et sœurs. On ne peut tirer sur les autres que si ce sont des étrangers. L'effort réel de réconciliation naît d'un regard chargé de compassion – et l'apti-

tude à compatir se dessine lorsqu'on voit clairement la nature de l'inter-être et l'interpénétration
de tous les êtres.

Dans nos vies, nous avons peut-être la chance
de connaître quelqu'un dont l'amour pour les
autres s'étend aux animaux et aux plantes. Nous
connaissons aussi peut-être des gens qui, bien
que vivant eux-mêmes en sécurité, réalisent que
la famine et l'oppression détruisent des millions
d'êtres humains sur la Terre. Ces gens essaient
alors de trouver un moyen d'aider ceux qui souffrent. Ils ne peuvent pas oublier les opprimés,
même au milieu des contraintes de leur propre
vie. Ils ont compris, au moins jusqu'à un certain
point, le caractère interdépendant de la vie. Ils
savent que la survie des pays sous-développés ne
peut être séparée de celle des pays matériellement
riches et techniquement avancés. La pauvreté et
l'oppression débouchent sur la guerre. À notre
époque, toute guerre concerne tous les pays du
monde. Le destin de chaque pays est lié au destin
de tous les autres.

Quand les poussins nés d'une même mère enlè-
veront-ils les couleurs de leurs visages et se recon-
naîtront-ils comme frères et sœurs ? La seule
façon de faire cesser le danger est que chacun ôte
la couleur sur son visage et dise à l'autre : « Je
suis ton frère. » « Je suis ta sœur. » « Nous
sommes toute l'humanité. Notre vie est une. »

Réconciliation

Que faire quand on a blessé quelqu'un qui nous considère désormais comme son ennemi ? La personne peut appartenir à notre famille, à notre communauté ou à un autre pays. Je pense que vous connaissez la réponse. Il y a peu de choses à faire. D'abord, il faut prendre le temps de dire : « Je suis désolé, je t'ai blessé par ignorance, par manque d'attention ou d'adresse. Je vais faire de mon mieux pour changer. Je n'ose rien te dire de plus. » Quelquefois, nous n'avons pas l'intention de blesser. Mais par manque d'attention ou par maladresse, nous blessons quelqu'un. Dans notre vie quotidienne, il importe de veiller à nos paroles pour ne blesser personne.

Ensuite, il faut essayer d'offrir la meilleure part de soi-même, la fleur : se transformer. C'est la seule façon de prouver la sincérité de ses paroles. Quand vous serez régénéré, devenu agréable, l'autre s'en apercevra très vite. Par la suite, chaque fois que vous aurez l'occasion de l'approcher, vous viendrez à lui en tant que fleur et il notera tout de suite que vous avez beaucoup changé. Peut-être ne sera-t-il même pas utile que vous parliez. Vous voir ainsi lui suffira, il vous acceptera et vous pardonnera. Cela s'appelle « parler avec sa vie et pas seulement avec des mots ».

Quand vous commencez à vous apercevoir que votre ennemi souffre, c'est que votre vision s'est approfondie. Quand vous apercevez en vous le désir que l'autre ne souffre plus, c'est signe d'amour vrai. Mais faites attention. Vous pouvez penser parfois que vous êtes plus fort que vous ne l'êtes en réalité. Pour tester votre force réelle, essayez d'aller à l'autre pour l'écouter et lui parler. Vous découvrirez tout de suite si votre compassion est vraie. Vous avez besoin de l'autre pour faire le test. Si vous ne faites que méditer sur d'abstraits principes comme la compréhension ou l'amour, compréhension et amour ne seront peut-être qu'imaginaires.

Se réconcilier ne signifie pas signer un accord avec duplicité et cruauté. Se réconcilier s'oppose à toute forme d'ambition, sans prendre parti. La plupart d'entre nous choisissent leur camp à chaque combat ou chaque conflit. Nous distinguons le bien du mal sur la base de preuves partielles ou de ouï-dire. Nous avons besoin d'indignation pour agir – mais même l'indignation juste et légitime n'est pas suffisante. Notre monde ne manque pas de gens prêts à se jeter dans l'action. Nous avons surtout besoin de gens capables d'aimer – et de ne pas prendre parti afin d'embrasser la réalité dans son ensemble.

Nous devons continuer à pratiquer la pleine conscience et la réconciliation jusqu'à ce que nous puissions considérer le corps d'un enfant ougandais ou éthiopien, qui n'a que la peau et les os, comme le nôtre ; jusqu'à ce que la faim et la souffrance des corps de toute espèce de vie deviennent les nôtres. Alors nous aurons fait œuvre de non-discrimination – d'amour vrai. Alors nous pourrons regarder tous les êtres avec les yeux de la compassion, et nous pourrons véritablement œuvrer à l'allègement de la souffrance.

Appelez-moi par mes vrais noms

Au Village des Pruniers, où je vis en France, nous recevons beaucoup de lettres venues des camps de réfugiés de Singapour, Malaisie, Indonésie, Thaïlande et des Philippines – des centaines chaque semaine. C'est très douloureux de les lire mais nous devons le faire : nous devons être en contact. Nous essayons de faire notre mieux pour aider. Hélas, la souffrance est énorme et parfois nous sommes découragés. On dit que la moitié des boat people meurent dans l'océan. La moitié seulement arrive sur les côtes d'Asie du Sud-Est – et même alors, ils n'y sont pas forcément en sécurité.

Parmi les boat people, il y a beaucoup de jeunes filles que violent les pirates. Bien que l'ONU et de nombreux pays essaient d'aider le gouvernement thaïlandais à prévenir ce genre de piraterie, les pirates des mers continuent à infliger de grandes souffrances aux réfugiés. Un jour, nous reçûmes une lettre nous racontant l'histoire d'une jeune fille violée sur un esquif par un pirate thaï. Elle n'avait que douze ans, sauta à l'eau et se noya.

Quand vous apprenez quelque chose comme cela, vous êtes d'abord en colère contre le pirate. Vous prenez naturellement le parti de la jeune fille. Puis, en regardant plus profondément, vous voyez les choses autrement. Si vous prenez le parti de la petite fille, c'est facile. Vous n'avez plus qu'à prendre un pistolet et tuer le pirate. Mais on ne peut pas faire ça. Dans ma méditation, j'ai vu que si j'étais né dans le village du pirate et si j'avais été élevé dans les mêmes conditions que lui, je serais certainement devenu un pirate. J'ai vu que beaucoup de bébés naissent le long du golfe du Siam – des centaines chaque jour – et que si nous, éducateurs, travailleurs sociaux, politiciens et autres ne faisons pas quelque chose, un certain nombre d'entre eux deviendront des pirates dans vingt-cinq ans. C'est certain. Si vous ou moi étions nés aujourd'hui dans ces villages de pêcheurs, nous pourrions devenir des pirates dans vingt-cinq ans. Si vous prenez un pistolet et tuez le pirate, vous nous tuez tous : parce que nous tous, d'une certaine façon, sommes responsables de cet état de choses.

Après une longue méditation, j'écrivis ce poème. En lui, il y a trois personnes : la jeune fille de douze ans, le pirate et moi. Pouvons-nous nous regarder les uns les autres et nous reconnaître les uns dans les autres ? Le titre du poème est « S'il vous plaît, appelez-moi par mes vrais noms », parce que j'ai tellement de noms. Quand j'entends l'un de ces noms, je dois dire : « Oui, c'est moi. »

Ne dis pas que je partirai demain
Car je nais aujourd'hui encore.
Regarde profondément : je nais à chaque seconde.
Je suis un bourgeon sur une branche au printemps.
Je suis un petit oiseau aux ailes encore fragiles
Qui apprend à chanter dans son nouveau nid.
Je suis une chenille au cœur d'une fleur.
Je suis un joyau caché dans la roche.

Je ne cesse de naître, pour rire et pour pleurer,
Pour craindre et espérer.
Le rythme de mon cœur, c'est la naissance
Et la mort de tous les êtres en vie.
Je suis l'éphémère se métamorphosant à la surface
                                    [de la rivière
Et je suis l'oiseau qui, quand le printemps arrive,
            [naît juste à temps pour manger l'éphémère.
Je suis la grenouille qui nage heureuse dans l'étang
                                    [clair
Et je suis l'orvet qui, approchant en silence, se
                        [nourrit de la grenouille.

Je suis l'enfant d'Ouganda, je n'ai que la peau et
                                    [les os,
Mes jambes aussi minces qu'un bambou fragile
Et je suis le marchand d'armes qui vend des armes
                        [mortelles à l'Ouganda.

Je suis la jeune fille de 12 ans, réfugiée sur un
                                    [esquif
Qui se jette dans l'océan après avoir été violée par
                                    [un pirate
Et je suis le pirate, mon cœur encore aveugle, inca-
                    [pable de voir et d'aimer.
Je suis un membre du Politburo, avec tant de pou-
                    [voir entre mes mains
Et je suis l'homme qui doit payer sa « dette de
                [sang » à mon peuple,
Agonisant lentement dans un camp de travail.

Ma joie est comme le printemps, si chaude qu'elle
    [fait fleurir les fleurs sur tous les chemins de la vie.
Ma souffrance est comme une rivière de larmes, si
            [pleine qu'elle remplit les quatre océans.

144

S'il vous plaît, appelez-moi par mes vrais noms
Que j'entende ensemble mes cris et mes rires,
Que je voie ma joie mais aussi ma peine.
S'il vous plaît, appelez-moi par mes vrais noms
Pour que je puisse me réveiller
Et pour que reste ouverte la porte de mon cœur,
La porte de la compassion.

La souffrance nourrit la compassion

Ces trente dernières années, nous avons pratiqué le « bouddhisme engagé » au Vietnam. Pendant la guerre, nous ne pouvions pas nous contenter de rester assis dans la salle de méditation ; nous devions pratiquer la pleine conscience partout, particulièrement là où les pires souffrances sévissaient.

Être en contact avec le type de souffrance spécifique à la guerre peut nous guérir de certaines peines éprouvées quand nos vies n'ont pas beaucoup de sens ou d'utilité. Quand vous affrontez les difficultés issues de la guerre, vous vous apercevez que vous pouvez être une source de compassion et de grande aide pour beaucoup de gens qui souffrent. Dans cette intense souffrance, vous ressentez une sorte de soulagement et de joie en vous, parce que vous savez que vous êtes un instrument de la compassion. En comprenant des souffrances si intenses et en réalisant la compassion au milieu d'elles, vous devenez une personne joyeuse, même si votre vie est très difficile.

L'hiver dernier, avec quelques amis, j'allai rendre visite à un camp de réfugiés de Hong-kong. Nous y fûmes témoins de beaucoup de souffrances. Il y avait des boat people âgés d'à peine un an ou deux et qu'on allait renvoyer dans leur pays car ils étaient considérés comme des immigrants illégaux. Ils avaient perdu leurs deux parents dans le voyage. Quand vous assistez à ce genre de souffrance, vous réalisez que la souffrance de vos amis en Europe et en Amérique n'est pas très importante.

Chaque fois que nous revenons d'une telle rencontre, Paris ne nous apparaît plus très réel. La façon dont les gens y vivent et la réalité des souffrances dans d'autres parties du monde sont tellement différentes ! Je me demandai : comment les gens peuvent-ils vivre ainsi étant donné cette réalité-là ? Mais si vous vivez à Paris pendant dix ans sans être en contact avec elle, vous trouvez ça normal.

La méditation est un point de contact. Parfois, vous n'avez pas besoin de vous rendre à l'endroit des souffrances. Vous vous asseyez tranquillement sur votre coussin et vous pouvez tout voir. Vous pouvez rendre réelles toutes choses et être conscient de ce qui se passe dans le monde. De cette conscience, la compassion et la compréhension naissent naturellement – et vous pouvez rester dans le pays où vous vivez, en agissant sur le plan social.

L'amour en action

Au cours de notre voyage ensemble, j'ai présenté un certain nombre de pratiques qui peuvent nous aider à maintenir la pleine conscience de ce qui se passe en nous et immédiatement autour de nous. Maintenant, alors que nous voyageons dans le vaste monde, quelques lignes directrices supplémentaires peuvent nous aider et nous protéger. Plusieurs membres de notre communauté ont pratiqué les principes suivants, et je pense qu'à vous aussi ils apparaîtront utiles dans vos choix et dans votre manière de vivre dans le monde contemporain. Nous les appelons les quatorze préceptes de l'Ordre de l'Inter-être.

1. N'idolâtrez ni ne vous laissez enfermer dans aucune doctrine, théorie ou idéologie. Tous les systèmes de pensée sont des guides : ils ne sont pas l'absolue vérité.

2. Ne pensez pas que la connaissance que vous possédez aujourd'hui soit immuable, absolue vérité. Évitez d'avoir l'esprit étroit et de vous attacher à vos points de vue actuels. Apprenez et pratiquez le non-attachement aux points de vue, afin d'être ouverts et réceptifs au point de vue des autres. La vérité est dans la vie et pas seulement dans les concepts. Soyez prêt à apprendre tout au long de votre vie et à observer la réalité par vous-mêmes, partout dans le monde et à tout moment.

3. Ne forcez pas les autres – y compris les enfants – à adopter vos vues, que ce soit par l'au-

torité, la menace, l'argent, la propagande ou même l'éducation. Cependant, au travers d'un dialogue de la compassion, aidez les autres à renoncer au fanatisme ou à l'étroitesse d'esprit.

4. N'évitez pas le contact avec la souffrance, ni ne fermez les yeux devant elle. Ne perdez pas la conscience de l'existence des souffrances dans la vie du monde. Trouvez des moyens pour être avec ceux qui souffrent, par tous les moyens, y compris le contact personnel et les visites, les images et les sons. Par de tels moyens, éveillez-vous, vous et les autres, à la réalité des souffrances du monde.

5. N'accumulez pas des richesses alors qu'il y a des millions d'affamés. Ne faites pas de la célébrité, du profit, de l'opulence ou des plaisirs de la chair le but de votre vie. Vivez simplement et partagez votre temps, votre énergie et vos ressources matérielles avec ceux qui en ont besoin.

6. Ne restez pas dans la colère ou la haine. Apprenez à entrer en elles pour les transformer tant qu'elles ne sont que des graines dans la conscience. Dès que la colère ou la haine naissent, portez votre attention sur la respiration de sorte à voir et comprendre leur nature, ainsi que la nature de ceux qui les ont provoquées.

7. Ne vous dispersez pas, ni en vous-même ni dans votre environnement. Pratiquez la respiration consciente pour revenir à ce qui a lieu au moment présent. Soyez en contact avec ce qui est merveilleux, régénérateur et capable de guérir, en vous et autour de vous. Plantez les graines de la

joie, de la paix et de la compréhension en vous de façon à faciliter le travail de transformation dans les profondeurs de votre conscience.

8. Ne prononcez pas des mots qui puissent créer de la discorde et amener la communauté à se rompre. Efforcez-vous de réconcilier et de résoudre tous les conflits, aussi minimes soient-ils.

9. Ne dites pas des choses déloyales dans le but de servir vos intérêts ou d'impressionner les autres. Ne prononcez pas des mots qui soient source de division ou de haine. Ne répandez pas des informations dont vous n'êtes pas certain. Ne critiquez ni ne condamnez ce dont vous n'êtes pas sûr. Parlez toujours de manière sincère et constructive. Ayez le courage de vous élever contre les situations injustes, même si cela peut menacer votre propre sécurité.

10. N'utilisez pas la communauté religieuse pour votre profit personnel, ni ne transformez cette communauté en parti politique. Une communauté religieuse doit, cependant, se positionner clairement contre l'oppression et l'injustice. Elle doit tout faire pour changer la situation sans pour autant s'engager dans des conflits partisans.

11. Ne vivez pas d'un métier qui cause du tort aux humains et à la nature. N'investissez pas dans des sociétés qui privent les autres de leurs chances de vivre. Choisissez un métier qui vous aide à accomplir votre idéal de compassion.

12. Ne tuez pas. Ne tolérez pas que les autres tuent. Usez de n'importe quel moyen pour protéger la vie et empêcher la guerre.

13. Ne possédez rien qui devrait appartenir à autrui. Respectez la propriété d'autrui, mais empêchez quiconque de s'enrichir à partir de la souffrance humaine ou de la souffrance d'autres êtres vivants.

14. Ne maltraitez pas votre corps. Apprenez à le traiter avec respect. Ne considérez pas votre corps simplement comme un instrument. Préservez les énergies vitales pour la réalisation de la Voie. L'expression sexuelle ne doit pas s'accomplir sans l'amour et l'engagement. Dans les relations sexuelles, soyez conscient des souffrances futures qu'elles pourront engendrer. Pour préserver le bonheur d'autrui, respectez l'engagement et les droits d'autrui. Soyez pleinement conscient de la responsabilité qu'implique la mise au monde de nouvelles vies. Méditez sur le monde auquel vous confiez de nouvelles vies.

La rivière

Il était une fois une belle rivière se frayant un chemin à travers collines, forêts et prairies. Elle était d'abord un petit torrent joyeux, une source toujours dansante et chantante en descendant de la montagne. Elle était très jeune alors et, en arrivant dans les basses terres, elle ralentit son cours. Elle pensait à l'océan vers lequel elle allait. En grandissant, elle apprit à devenir belle, dessinant de gracieuses courbes entre plaines et collines.

Un jour, elle s'aperçut qu'elle contenait l'image des nuages. C'était des nuages de toutes les couleurs et de toutes les formes. Alors, pendant des journées entières, elle fut occupée à courir derrière les nuages. Elle voulait posséder un nuage, en avoir un pour elle-même. Mais les nuages flottaient et voyageaient dans le ciel – et ils changeaient constamment de forme. Parfois ils ressemblaient à un pardessus, parfois à un cheval. La rivière souffrait beaucoup de la nature impermanente de ces nuages. Chasser les nuages était devenu son plaisir et sa joie, mais le désespoir, la colère et la haine entrèrent dans sa vie.

Puis un jour, un fort vent arriva qui chassa tous les nuages du ciel. Le ciel se vida complètement. Notre rivière pensa que la vie ne valait pas la peine d'être vécue car il n'y avait plus aucun nuage à chasser. Elle voulut mourir : « S'il n'y a pas de nuages, pour quelle raison devrais-je vivre ? » Mais comment une rivière pourrait-elle se suicider ?

Cette nuit-là, la rivière eut l'occasion de revenir à elle-même pour la première fois. Elle avait couru si longtemps derrière quelque chose à l'extérieur d'elle-même qu'elle ne s'était encore jamais vraiment regardée. Elle entendit ses pleurs pour la première fois – les sons de l'eau s'écrasant le long des berges. Parce qu'elle était capable d'entendre sa propre voix, elle découvrit quelque chose de très important.

Elle s'aperçut qu'elle contenait déjà l'objet de sa recherche. Elle découvrit que les nuages, ce n'était que de l'eau. Les nuages sont nés de l'eau et retourneront à l'eau. Et elle découvrit qu'elle était elle-même de l'eau.

Le lendemain matin, quand le soleil fut dans le ciel, elle fit une autre très belle découverte. Elle vit le ciel bleu pour la première fois. Elle ne l'avait jamais remarqué auparavant. Elle ne s'était intéressée qu'aux nuages et elle avait oublié de voir le ciel, qui est là où vivent tous les nuages. Les nuages passent, mais le ciel est toujours là. Elle réalisa que le ciel immense était dans son cœur depuis le tout début. Cette vision lui apporta la paix et le bonheur. En voyant le vaste et merveilleux ciel bleu, elle sut que cette paix et cette stabilité en elle ne disparaîtraient jamais.

Cet après-midi-là, les nuages revinrent. Mais la rivière n'avait plus envie d'en posséder. Elle voyait la beauté de chaque nuage et pouvait les accueillir tous. Quand un nuage arrivait, elle le saluait avec sollicitude. Et quand le nuage avait envie de s'éloigner, elle lui disait au revoir gentiment. Elle réalisa que les nuages et elle, c'était un tout. Elle n'avait donc pas à choisir entre les nuages et elle. La paix et l'harmonie existaient entre eux et elle.

Ce soir-là, quelque chose de merveilleux arriva. Quand elle ouvrit son cœur complètement au ciel du soir, elle reçut l'image de la pleine lune – belle, ronde comme un bijou déposé en elle. Elle n'avait jamais imaginé recevoir un jour une image d'une telle splendeur. Il y a un très beau poème chinois qui dit : « *La lune, fraîche et belle, voyage dans le ciel parfaitement vide. Le jour où les êtres humains auront libéré leur rivière d'esprit, cette image de la lune si belle se reflétera en chacun de nous.* »

Tel était l'esprit de la rivière à cet instant. Elle reçut l'image de cette très belle lune en son cœur – et l'eau, les nuages et la lune se prirent par la

main pour méditer en marchant doucement, jusqu'à l'océan.

Il n'y a rien à poursuivre. Nous n'avons qu'à
revenir à nous-mêmes, profiter de notre respiration, de notre sourire et de la beauté du
monde.

L'entrée dans le XXIe siècle

On utilise beaucoup le mot « politique » de nos
jours. Il semble qu'il y ait une politique pour chaque chose. J'ai ouï-dire que les prétendus pays
développés réfléchissaient à une politique des
déchets qui enverrait leurs poubelles dans le
tiers-monde !

Je crois que nous avons besoin d'une « politique » pour faire avec nos souffrances. Nous ne
voulons pas fermer les yeux sur elles, mais trouver un moyen de les utiliser, pour notre bien et
le bien de tous. Il y a eu tant de souffrances au
XXe siècle : deux guerres mondiales, des camps de
concentration en Europe, les tueries du Cam-
bodge, les réfugiés du Vietnam, d'Amérique cen-
trale et d'ailleurs qui fuient vers des pays où
l'on ne veut pas d'eux... Nous devons articuler une
politique pour ces sortes de « déchets » également. Nous devons utiliser la souffrance du
XXe siècle comme un compost pour qu'ensemble
nous puissions créer des fleurs au XXIe siècle.

Quand nous voyons photos et documents de la
barbarie nazie – les chambres à gaz et les camps –

153

on a peur. On peut se dire : « Je n'ai pas fait ça. Eux l'ont fait. » Mais si nous avions été là, nous aurions peut-être fait la même chose – ou nous aurions été trop peureux pour l'empêcher, comme ce fut le cas pour tant de gens. Nous devons mettre toutes ces choses dans notre compost pour fertiliser la terre. En Allemagne aujourd'hui, les jeunes ont une sorte de complexe : ils se sentent responsables des souffrances causées par leur pays. Il est important que ces jeunes – tout comme la génération responsable de la guerre – prennent un nouveau départ et qu'ensemble ils créent un chemin de pleine conscience afin que nos enfants, au siècle prochain, puissent éviter de répéter les mêmes erreurs. La fleur de la tolérance, qui voit et apprécie la diversité des cultures, est une fleur que l'on peut cultiver pour les enfants du XXIe siècle. La vérité des souffrances est une autre de ces fleurs : il y a eu tant de souffrances inutiles au XXe siècle. Si nous sommes désireux de travailler ensemble et d'apprendre ensemble, nous pourrons tous bénéficier des erreurs de notre époque. En les considérant avec les yeux de la compassion et de la compréhension, nous pourrons offrir au XXIe siècle un jardin magnifique et un clair chemin.

Prenez la main de votre enfant et invitez-le à sortir et à vous asseoir avec vous sur l'herbe. L'un et l'autre aurez peut-être envie de contempler l'herbe verte, les petites fleurs, le ciel. Respirer et sourire ensemble – voilà ce qu'est l'éducation pour la paix. Si nous savons apprécier ces choses simples mais très belles, nous n'aurons à recher-

cher rien d'autre. La paix est accessible à tout
instant, en chaque respiration, en chaque pas.

J'ai apprécié le voyage que nous venons de
faire. J'espère que vous l'avez apprécié également.
Nous nous reverrons.

À *propos de l'auteur*

Thich Nhat Hanh est né au Vietnam en 1926. Il a quitté ses parents adolescent pour devenir un moine zen. Au Vietnam, il a fondé L'école de jeunesse pour le service social, l'Université bouddhique de Van Hanh et l'Ordre de Tiep Hien (Ordre de l'Inter-être). Il a enseigné à l'université de Columbia (New York) et à la Sorbonne (Paris). Il a présidé la délégation bouddhiste vietnamienne pour la paix lors des pourparlers ayant conduit aux accords de Paris (1973). Martin Luther King le proposa comme prix Nobel de la paix. Depuis 1966, il vit en exil en France où il continue d'écrire, d'enseigner, de jardiner et d'aider les réfugiés du monde entier. Il est l'auteur de soixante-quinze ouvrages en anglais, français et vietnamien, dont *Le miracle de la pleine conscience* (éd. J'ai lu).

8863

Composition
PCA
Achevé d'imprimer en France (La Flèche)
par CPI Brodard et Taupin
le 1ᵉʳ mars 2011. 62799

EAN 9782290014776
1ᵉʳ dépôt légal dans la collection : février 2009

Éditions J'ai lu
87, quai Panhard-et-Levassor, 75013 Paris
Diffusion France et étranger : Flammarion